Collectif FTP

Petit Dico
des Drogues

D0766177

L'ESPRIT FRAPPEUR

L'Esprit frappeur n° 3

Collectif FTP
Petit Dico des drogues

© 1997 L'esprit frappeur (N.S.P.)
ISBN : 2-84405-002-6

QU'EST-CE QU'ON EXIGE d'un dictionnaire sur les drogues ? Qu'il donne des réponses claires, précises, objectives, brèves, incisives à des questions que vous vous posez à propos des drogues. Ce *Petit Dico,* c'est d'abord un livre qu'on met dans la poche et qu'on lit comme un roman avec, en guise de chapitres, le passage d'une lettre à l'autre. C'est aussi un guide qui, pour dix balles, vous propose un petit tour du monde des plantes psychotropes. Elles fascinent, vous font les yeux doux comme la belladone, mais attention, elles ne sont pas à la portée de n'importe quel voyageur...

D'ailleurs, on exagère, ce n'est pas vraiment un dictionnaire sur les dopes (elles n'y sont pas toutes), c'est un *Petit Dico* sur les mots de la dope, ceux qu'emploient les médecins de l'âme et du corps et les gardiens de la prohibition. Puis les autres mots, ceux qui ne sont pas dans le *Petit Robert*, ceux inventés par les amateurs de drogues pour qualifier leur état ou nommer les substances. Ce *Petit Dico* – je l'ai expérimenté – est aussi un jeu de piste. Les termes renvoient les uns aux autres et les auteurs auront gagné leur pari – *accrocher* le lecteur – si, d'une page à l'autre, son regard est attiré par quelques définitions.

Plutôt roboratif que rébarbatif, ce *Petit Dico* s'avale et se digère sans problème. Je vous le recommande vivement, il vous procurera un effet *high* et vous initiera avec humour au monde des drogues.

Jean-Pierre Galland

Drogue naturelle

Drogue synthétique

Drogue hallucinogène

Drogue consommée dans un cadre religieux

Drogue entraînant l'accoutumance

Drogue pharmaceutique

Histoire, culture, médical

Argot de la drogue

 **Absinthe** : plante méditerranéenne haute de 50 cm contenant une essence amère et toxique servant à fabriquer la liqueur du même nom surnommée la « fée verte ». Des artistes comme Van Gogh, Gauguin, Toulouse-Lautrec, Verlaine, Crowley et d'autres en abusèrent quelque peu au siècle dernier. Très répandu en Europe, cet alcool fut, suite aux crises de folie qu'il provoquait chez ses consommateurs, interdit en France en 1916 et remplacé par les anisettes. Rare expérience de prohibition réussie (il n'y a pas de trafic clandestin). On trouve cependant encore de l'absinthe en Espagne et en Suisse.

Acide : voir LSD.

Accro : abréviation d'accroché. Personne dépendante d'une substance. On peut être accro à l'héroïne, au café, au tabac, à l'alcool, mais aussi au jeu, à la télévision, à la religion, au sexe, etc. Toute toxicomanie n'est cependant pas irrémédiable.

Adam : autre nom du MDMA, en référence au jardin d'Éden.

Afghan : le « noir » par excellence : noir à l'extérieur du fait de l'oxydation, sa couleur varie à l'intérieur du vert terne au jaune brun foncé suivant que le shit a été travaillé pour l'amalgame avec de la graisse animale ou du sang de bœuf. La culture du cannabis et du pavot permit aux moudjahidins de se fournir en armes pour résister à l'envahisseur soviétique entre 1979 et 1989. Mais les talibans, fanatiques religieux au pouvoir depuis 1996, ont interdit la culture du cannabis pour la remplacer par celle du pavot, beaucoup plus lucrative.

Agara : le *Galbulimima belgraveana* est un arbre poussant en Papouasie, et dont les indigènes font bouillir l'écorce et les feuilles. Cette décoction provoque une ivresse accompagnée d'hallucinations. Les chasseurs y ont recours lors de rites magiques pour visualiser leurs proies.

Alcaloïdes : substances organiques azotées souvent très actives que l'on trouve dans de nombreuses plantes. Les alcaloïdes sont généralement employés pour leur action thérapeutique. Ainsi, la morphine (un dérivé du *Papaver somniferum*) est un analgésique, et l'atropine (extraite de la belladone) un antispasmodique.

Alcool : liquide enivrant obtenu à partir de la distillation du vin ou de produits fermentés (fruits, céréales, plantes diverses…). Drogue légale très répandue, ses effets varient selon la variété d'alcool, le degré et la quantité absorbée, mais aussi en fonction de la constitution de la personne. On désigne sous l'appellation générale d'alcool les boissons obtenues par fermentation (vins, bières, cidres, etc.) et celles obtenues par distillation. À fortes doses, l'alcool peut provoquer un coma éthylique *(delirium tremens)*. À doses moyennes, il amoindrit les réflexes et fait somnoler. Ses effets désinhibants et exaltants poussent à la convivialité, mais rendent parfois agressif. Peut entraîner une forte dépendance et une forte accoutumance. En France, on estime à deux millions le nombre d'alcooliques, à deux ou trois millions le nombre de buveurs excessifs et à cinquante mille le nombre de décès qu'il cause chaque année directement (cirrhoses, maladies cardio-vasculaires) ou indirectement (accidents, agressions, etc.).

Amanite tue-mouche : ce champignon au chapeau rouge parsemé de taches blanches est bien connu des amateurs de sous-bois. Ce que l'on sait moins, c'est que l'*Amanita muscaria* possède de puissantes propriétés hallucinogènes. Ainsi, les chamans sibériens et lapons la consomment pour entrer en transe et communiquer avec les esprits. Ils font sécher les têtes des champignons, puis ils les mélangent à du lait de renne, de l'eau ou du jus de myrtille. Dans certaines tribus de Sibérie, l'urine des chamans intoxiqués est consommée rituellement. Très toxique à fortes doses, elle peut être confondue avec d'autres variétés mortelles.

Amphétamines : excitants synthétiques atténuant les sensations de faim, de fatigue et permettant des efforts et une concentration prolongés. Les effets durent de 8 à 12 heures, et génèrent en cas de consommation fréquente des problèmes cardiaques, de l'agressivité, de la paranoïa et de l'anxiété. À fortes doses, les « amphètes » provoquent également des hallucinations et des psychoses chez des personnes prédisposées. Elles entraînent une accoutumance psychologique et une importante tolérance. Elles se présentent sous forme de pilules ou de poudre, se sniffent, se fument, ou s'injectent. Les amphétamines furent d'abord destinées aux militaires lors de la Première Guerre mondiale, puis se répandirent dans la population, notamment chez les sportifs, les étudiants, les artistes… Les premières formes de toxicomanies liées aux amphétamines apparurent vers 1960. Utilisées comme stimulants, elles furent peu à peu retirées de la circulation, elles ne subsistèrent guère que comme coupe-faim, lesquels virent eux aussi leur distribution réduite du fait de leur détournement par les consommateurs. On en trouve maintenant provenant de laboratoires clandestins sous toutes sortes de dénominations et mélangées à de nombreuses autres drogues. Consommation en forte hausse.

Analgésiques : médicaments atténuant ou supprimant la douleur physique (généralement des opiacés). Ces produits peuvent entraîner une dépendance physique.

Anandamide : en 1992, Raphaël Mechoulan découvre dans le cerveau une molécule proche du THC qu'il baptise du nom d'anandamide, d'après le mot sanskrit *ananda* signifiant « félicité ». Deux ans plus tard, une équipe de scientifiques découvre que l'anandamide est un neuromédiateur, une découverte qui pourrait, dans un futur proche, permettre la mise au point de certains médicaments. Voir THC.

Angel dust : la « poudre d'ange » est un autre nom du PCP. Drogue des « minorités, des insurgés et des pervers », le PCP a une abominable réputation. Il est pourtant très proche de la kétamine, produit légal aux États-Unis. Anesthésique, il est consommé essentiellement dans les milieux médicaux pour ses propriétés hallucinogènes. Voir kétamine et PCP.

Antidépresseurs : médicaments en principe utilisés dans le traitement de la dépression. Le Prozac est un antidépresseur. Ces produits engendrent facilement une dépendance.

Autoproduction : l'autoproduction concerne principalement le cannabis. Cultiver chez soi et par ses propres moyens du cannabis constitue une excellente alternative au marché clandestin et à ses galères. Elle permet un approvisionnement peu coûteux, des échanges conviviaux, et, si le « cannabiculteur » a la main verte, d'obtenir des produits de bonne qualité.

Autosupport : mouvement d'usagers de drogues dures auto-organisés pour combattre la répression policière, la stigmatisation sociale, améliorer les structures de soins et relayer en milieu toxicomane la réduction des risques. Le premier groupe d'autosupport a été créé à Rotterdam en 1980.

Ayahuasca : ou yagé, liane d'Amérique du Sud dont l'alcaloïde fut à l'origine nommé télépathine en raison de ses étranges propriétés. Le *Banisteriopsis caapi* apporte en effet des visions et des rêves colorés et réalistes (fortement teintés de bleu). Les chamans jivaros s'en servent pour entrer en transe et guérir les malades, car ils pensent que grâce à la « liane de l'âme », celle-ci pourra quitter momentanément le corps pour voyager dans le monde des esprits. L'écorce est trempée dans de l'eau et mélangée, ou non, à des feuilles de *Banisteriopsis rusbyana*, une variété différente, et de *Psychotria viridis*, pour modifier ses effets. Comme les cactus, le yagé, lors de son ingestion, entraîne des vomissements à cause de son amertume et de son goût nauséabond. C'est pourquoi l'écorce est parfois réduite en poudre pour être prisée ou bien chiquée.

Baba cool : le terme « baba », d'origine hindi, signifie homme et le terme anglais *cool* implique une personnalité sereine et pacifique. Les « babs » ont repris la relève du mouvement hippie depuis la fin des années 70.

Bad trip : expérience désagréable lors de la prise d'un psychédélique. Elle dépend pour l'essentiel de la personne qui prend le produit, du contexte et du moment. Attention, certaines expériences peuvent se révéler terrifiantes et laisser d'importantes séquelles psychologiques.

Bang : originaire de Thaïlande, c'est une pipe constituée d'un tube de bambou bouché à une extrémité et muni d'un trou d'air à la base du foyer (ne pas confondre avec le shubang qui est un tube évidé des deux côtés).

Barbituriques : médicaments longtemps utilisés comme somnifères et couramment employés dans le traitement de l'épilepsie et en chirurgie. Sédatifs hypnotiques, ils provoquent une anesthésie rapide et profonde, avec l'avantage d'un réveil clair. Parfois employés par les héroïnomanes ou les morphinomanes comme palliatifs. Également connus sous le nom de « barbitos » ou « barbis », ils se présentent sous forme de pilules, d'ampoules ou de sirops (Pentothal, Nembutal, Gardénal, Séconal, Phénobarbital…), beaucoup ont disparu des pharmacies après leur abandon en tant que somnifères. Ces produits entraînent une forte dépendance et une forte accoutumance, de plus un sevrage brutal peut être mortel. Le risque d'accident est important (à dose massive, ils peuvent entraîner la mort par arrêt respiratoire). Association avec l'alcool extrêmement dangereuse.

Barrette : le haschisch se vend en barrettes dont le poids varie suivant les dealers. Le cours en 1998 est de 0,5 g à 3 g pour 100 F.

Beat generation : entre deux périples au cœur de l'Amérique profonde ou deux voyages qui les menaient de Londres à Tanger en passant par Bénarès ou Paris, les *beatniks* qui fréquentaient Greenwich Village à New York ou

North Beach sur la baie de San Francisco, donnèrent à ce mouvement artistique le nom de *beat* (de l'américain *beat* : pulsion, battement). Dix ans avant la déferlante *hippie* qui lui succédera, les écrivains et les musiciens de la *beat generation* rejetaient déjà en bloc les valeurs de l'Amérique blanche et puritaine, celles de l'*american way of life* et sa bonne conscience tout-terrain et revendiquaient l'errance, le vagabondage sexuel et un usage immodéré des drogues et notamment, marijuana, LSD, héroïne, cocaïne et alcool. Deux livres *On the road* de Jack Kerouac et *Howl* de Ginsberg, parus en 1957, mais aussi les livres de Burroughs, Gregory Corso, Gary Snider ou Lawrence Ferlinghetti donnèrent à la philosophie *beatnik* ses lettres de noblesse.

Belladone : plante appartenant à la famille des solanacées et figurant parmi les substances utilisées lors des rituels magiques et des sabbats. Les feuilles (30-200 mg) sont séchées et broyées, puis fumées. Elle contient de la scopolamine, substance qui provoque le délire et peut être toxique à très fortes doses. Effets physiques intenses et souvent désagréables, effets psychiques marqués, agitation, délire, hallucinations « vraies ». Cette « belle dame » – ainsi appelée car elle donnait aux femmes de beaux yeux en dilatant la pupille – servait aussi d'ingrédient à la composition d'onguents hallucinogènes. L'*Atropa belladona* n'entraîne aucune dépendance, elle est utilisée dans certains médicaments (voir datura).

Benzédrine : variété d'amphétamine.

Benzodiazépines : la plus utilisée des classes de médicaments psychotropes (Valium, Lexomil, Temesta, Rohypnol…). Employées dans le traitement de l'anxiété et de l'insomnie, les benzodiazépines sont très demandées par les toxicomanes, mais c'est aussi la drogue – légale – de M. Tout-le-monde. Induisent de fortes dépendances, association dangereuse avec l'alcool. Sevrage difficile.

Beuh : abréviation de beuher, herbe en verlan.

Beurre de Marrakech : le THC, chauffé au-delà de 60 °C, se fixe dans les matières grasses, et ce pour le plus grand bonheur des amateurs de cuisine au beurre. Ainsi, il est possible de faire du beurre cannabique en mélangeant du haschisch ou des feuilles de cannabis à du beurre fondu. La consommation de ce beurre produit des effets qualitativement différents de ceux du joint et plus forts (le foie produit à partir du THC un métabolite environ cinq fois plus puissant que le THC).

Bhang : boisson indienne à base de lait et de cannabis (le beurre peut également être utilisé) accompagnés d'épices comme le gingembre, le girofle… Les effets d'un bhang corsé se rapprochent de ceux des champignons ou d'une faible dose de LSD.

Blunt : petit cigare évidé et rempli de marijuana.

Bogarter : ou coincer sur le joint, en référence à Humphrey Bogart et à son mégot éternellement vissé aux lèvres : « Hé, tu bogartes ! Relâche l'otage ! »

Bonbon : surnom de l'ecstasy ou des « dance pills ».

Boum : voir flash.

Border : haschisch produit au Pakistan, voulant ressembler à de l'afghan. Par extension, n'importe quel haschisch noir et mou de qualité douteuse et de provenance incertaine…

Boulette : petit bout de haschisch qui traîne au fond des poches. Également, braise incandescente de haschisch projetée lors de la combustion d'un pétard et occasionnant des trous de boulette.

Bufoténine : substance hallucinogène comparable au DMT, que l'on trouve dans la peau des crapauds. En Europe, elle fut utilisée dans la préparation de philtres et d'onguents par les sorcières et en Amazonie comme hallucinogène lors de rites chamaniques. Le venin dorsal est un liquide granuleux de couleur jaunâtre. Son action est de courte durée, mais relativement puissante à doses élevées.

Buvard : également acide, trip, ace. Ce sont de petits morceaux de papier imbibés d'une goutte de LSD, et sur lesquels sont imprimés un logo, une image ou un slogan en rapport avec le nom du buvard. Ex : Daffy Duck, Hofmann, Fraise, Bouddha, Gorbie, Blason, OVNI, Bart Simpson, Rolling Stones, AUM, Spirale, Smiley, Dragon…

 Café : Les graines contenues dans le fruit du caféier sont torréfiées pour donner une boisson stimulante, dont le principe actif est la caféine. À bien des égards, le café semble plus puissant que la caféine raffinée ou que toute autre plante contenant de la caféine. Ce puissant stimulant facilite la concentration mais engendre une forte dépendance masquée par le côté intégré de sa consommation. À forte dose, il cause palpitations, insomnie, anxiété.

Caféine : alcaloïde, puissant stimulant présent notamment dans le café, le thé ou le cola.

Came : la drogue en général, d'où camé : drogué.

Cannabinoïdes : principes actifs présents dans le cannabis (environ une soixantaine), dont le plus célèbre est le THC.

Cannabis : nom scientifique *cannabis sativa*, né en Asie centrale, le cannabis est une des plus anciennes plantes cultivées. Connu dès l'Antiquité pour ses vertus médicinales et pour son utilisation textile, il est intégré dans la vie religieuse en Inde et le monde musulman s'intéressera à ses vertus enivrantes. Mauvaise herbe s'adaptant à de nombreux climats, le cannabis va se répandre sur tous les continents. Dans les années 30, aux États-Unis, il fait l'objet d'une vaste campagne de dénigrement. Et en 1961, la Convention unique sur les stupéfiants lui applique le régime du pavot à opium. La convention de 61 ne s'applique toutefois pas à la culture à des fins industrielles (fibres, graines) ou horticoles. Sous le nom de marijuana, il connaîtra dans la foulée de Mai 68 et de la contre-culture américaine une ferveur nouvelle qui ira sans cesse croissant, en dépit du durcissement de la législation (loi de 70) et de la répression. De toutes les drogues illicites, le cannabis est la plus populaire. Rien qu'en France, on estime à deux millions le nombre de consommateurs réguliers. En raison de ses qualités : pas de dépendance physique, faible toxicité, de ses vertus thérapeutiques, et surtout de son extraordinaire popularité, notamment dans la jeunesse, son classement au tableau des stupéfiants est aujourd'hui de plus en plus contesté en Europe comme aux États-Unis. Voir chanvre, haschisch et THC.

Cannabistrot : inspiré du modèle des *coffee-shops* hollandais, le cannabistrot est un concept proposé par le Circ (Collectif d'Information et de Recherche Cannabique), comme alternative à la prohibition du cannabis en France.

Carotter : arnaquer, tromper sur la qualité d'une drogue ou tricher sur la quantité fournie. En régime de prohibition, il n'existe aucun recours légal contre un commerçant indélicat.

Cassé : voir défoncé.

Chaman : le chaman assure le lien entre les esprits et la tribu à laquelle il appartient. Son rôle est de guérir, de veiller sur l'équilibre de la tribu, de conjurer les mauvais esprits et de prédire l'avenir. Pour communiquer avec les esprits et en obtenir des informations ou des faveurs, le chaman entre en transe. On peut atteindre la transe par la danse, le chant ou l'usage de drogues psychédéliques. En Amérique du Sud les plus utilisées sont les psilocybes, le yagé, l'ipomée, le coleus, le peyotl et d'autres cactus hallucinogènes. Ces drogues sont utilisées lors de rites et de cérémonies spécifiques à la tribu qui les emploie. À la fin du « voyage » du chaman, ses visions sont analysées afin de déterminer la conduite à tenir pour l'avenir ou pour établir l'origine d'un trouble et découvrir les moyens d'y remédier. Ces drogues servent parfois aussi lors de rites initiatiques collectifs. Les chamanes utilisant ces drogues psychédéliques ne souffrent pas de troubles physiques ou mentaux ou de dépendance liés à ces pratiques.

Chanvre : dérivé du mot latin *cannabis*. Désigne le chanvre cultivé pour sa fibre en climat tempéré par opposition au chanvre indien, cultivé pour ses propriétés psychotropes. En France, la production est soumise à un contrôle strict de l'État et les graines fournies par la Fédération nationale des producteurs de chanvre ne dépassent pas 0,2 % de THC, norme européenne. Longtemps, la fibre du chanvre a servi à la fabrication des voiles, des cordages, des vêtements et du papier « bible » connu pour sa résistance. Les graines (dépourvues de THC), donnent une huile de grande qualité. Depuis quelques années, en Allemagne ou en Suisse, l'industrie du chanvre s'est considérablement développée et des boutiques spécialisées proposent aujourd'hui des chaussures ou des cosmétiques à base de chanvre, voir de l'huile de table fabriquée à partir des graines riches en acides gras essentiels.

Charras : shit originaire d'Inde, fabriqué en frottant entre ses mains des plants de cannabis fortement résineux comme on n'en trouve que dans l'Himalaya, à une altitude de plus de 2000 mètres. Qualité extraordinaire, rendement faible, donc très rare, c'est la Rolls du haschisch. Désigne aussi dans le sous-continent indien une sorte de haschisch fait avec des têtes d'herbes broyées qu'on a laissé moisir, d'où un aspect repoussant. Compact mais pas pressé, il est noir verdâtre et toujours humide.

Cheval : autre nom de l'héroïne, qui par extension se transforma en « bourrin ». Ce terme n'est plus utilisé.

Chichon : surnom un tantinet ringard mais bien de chez nous du haschisch.

Chillum : pipe droite en forme de cône, traditionnellement fabriquée en terre ou en pierre, servant à fumer le haschisch en Inde, et ramenée en Europe par les routards de retour de Bénarès ou de Katmandou. Sa pratique demande du souffle et une certaine habitude. Classe son utilisateur parmi les mecs « qui assurent » (voir safi).

24

Chnouf : l'héroïne dans les romans d'Auguste Le Breton et les films policiers des années 50.

Chocolat : aliment composé de poudre de cacao (fruit du cacaoyer) et de sucre, originaire d'Amérique du Sud. Consommé régulièrement, le chocolat peut mener à une légère dépendance psychologique. Des recherches récentes ont également démontré que le chocolat contenant un fort taux de cacao pouvait procurer les mêmes effets relaxants que le cannabis.

Chocolate : nom, en Espagne, du haschisch marocain ordinaire. Contrairement au marocain classique – obtenu artisanalement par tamisage – sa fabrication est semi-industrielle, on frappe la plante enveloppée dans un sac avec un bâton, ce qui permet d'obtenir une plus grosse quantité de produit (avec un fort pourcentage de déchets de feuilles et de fibres). La couleur noire – perçue à tort comme un indice de qualité – est la conséquence du battage qui opère une réaction chimique, transformant le CBD (cannabidiol) en THC. Avec un fort taux de THC et un faible taux de CBD, l'effet du *chocolate* est immédiat mais dure peu. Médiocre mais plus rentable, ce produit a fait disparaître du marché l'authentique marocain.

Choline : un nootrope. Accroîtrait les capacités de la mémoire. Utilisée également dans le cadre de régimes amincissants.

Coca : arbuste sud-américain dont on extrait l'alcaloïde nommé cocaïne. Les Indiens mâchent les feuilles de coca dans un contexte religieux, les mineurs et agriculteurs des pays andins (Colombie, Pérou, Bolivie) les chiquent afin de mieux supporter la fatigue, la faim et l'altitude. C'est aux extraits de feuilles de coca qu'il contenait que le vin Mariani – tout comme le Coca-Cola – dut son succès phénoménal à la fin du siècle dernier… Quand en 1903 l'utilisation de la cocaïne fut interdite dans l'alimentation, Coca-Cola dut retirer la cocaïne de sa boisson (qui conserve cependant d'autres extraits de coca), la cocaïne fut alors vendue à part jusqu'à son interdiction en 1914! Une fois prohibés, les stimulants de la feuille de coca qui avaient été rendus publics et massivement diffusés par Coca-Cola, entamèrent alors une fantastique carrière clandestine qui ne s'est pas démentie jusqu'à nos jours.

Cocaïne : chlorhydrate de cocaïne, alcaloïde extrait du coca. La cocaïne se présente sous la forme d'une poudre neigeuse et cristalline. Existe sous forme de molécule naturelle (extraite de la feuille de coca) ou synthétique.

On peut la « sniffer », la fumer ou l'injecter. Les effets sont immédiats et plutôt brefs. Ils se caractérisent par d'intenses poussées d'énergie et d'exaltation. La cocaïne cause des lésions de la paroi nasale et des problèmes cardio-vasculaires (infarctus notamment). Forte dépendance psychologique. La pratique de l'injection amène un « accrochage » rapide. Son prix varie entre 400 et 1 000 F le gramme suivant la qualité et le dealer. En Amérique du Sud, la cocaïne joue un rôle économique important et contribue à la fois à l'enrichissement des dictatures militaires pro-américaines et au financement (et au pourrissement) des guérillas.

Coco : surnom de la cocaïne dans les années 20.

Codéine : alcaloïde de l'opium utilisé dans certains médicaments contre la toux dont le célèbre Néocodion. Les junkies l'utilisent comme produit de substitution.

Coffee-shops : établissements hollandais où l'on peut acheter et consommer du cannabis. La loi hollandaise autorise l'achat de 5 g maximum par personne au lieu de 30 g auparavant, suite aux pressions de la France. Cette tolérance, due à la volonté des autorités hollandaises de séparer le marché des drogues dures de celui des drogues douces, garantit des produits de bonne qualité à des prix raisonnables. Les Hollandais ne consomment pas plus de cannabis que leurs voisins européens.

Coke : diminutif de cocaïne.

Cola (noix de) : ou kola, fruit du kolatier, arbre poussant dans les zones tropicales. On le mâche pour bénéficier de ses effets toniques et stimulants. La noix de cola contient de la kolatine.

Coleus : plante haute d'un mètre, dont les Mazatèques chiquent les larges feuilles colorées (une trentaine minimum) pour obtenir des visions lors de rituels magiques ou divinatoires. Ses effets se rapprocheraient de ceux des psilocybes, en plus légers.

Colles : vidées dans un sac plastique, celles-ci sont inhalées durant plusieurs minutes, voire plusieurs heures, et plongent le consommateur dans une ivresse anesthésiante, provoquant vertiges et euphorie. La majorité des usagers ont entre dix et dix-sept ans. Les dangers de cette pratique ont été très exagérés et l'agitation sur ce sujet a beaucoup aidé à populariser cette drogue médiocre qui semble cependant en net recul aujourd'hui en France.

Copelandia : le plus hallucinogène des champignons. Utilisé dans un cadre religieux à Bali (Indonésie), il est aussi vendu comme souvenir exotique aux touristes. Le *Copelandia cyanescens* ressemble d'ailleurs à une variété de champignons psychoactifs européens, les panéoles. Certains scientifiques pensent que le *Copelandia* appartiendrait à cette famille.

Couper : adultérer un produit. Les drogues, produits coûteux, sont souvent coupées avec des excipients bon marché pour en augmenter le poids ou avec des substances actives pour « améliorer » un produit médiocre. Ces manipulations abaissent la qualité du produit (il faut en prendre plus pour atteindre l'effet désiré), mais surtout le rendent moins sûr (voir qualité). L'héroïne est classiquement coupée avec du lactose, du talc, de la cellulose ou du paracétamol, mais aussi des amphètes, ou n'importe quoi de blanc et de pulvérulent. Les pilules vendues sous le nom d'ecstasy ne contiennent pas toujours du MDMA, mais souvent d'autres amphétamines moins coûteuses (MDA, MDEA) parfois de l'éphédrine, de la caféine, de la kétamine, etc. Le haschisch peut être coupé avec du henné, de la paraffine, de la colle, de la terre, du cirage, des médicaments, etc.

Crack : ce sont des résidus de cocaïne auxquels on ajoute du bicarbonate de soude, de la lidocaïne et d'autres produits souvent indéterminés. Il se présente sous la forme de cailloux et a l'apparence neigeuse et cristalline de la cocaïne. Le crack se fume en pipe, et la dépendance est très rapide. Similaires à ceux de la cocaïne, ses effets, plus puissants mais plus brefs, ne dépassent guère 10 minutes. Très répandu dans les ghettos noirs des États-Unis, il a fait son apparition en France (dans les années 90) où sa consommation reste marginale et concentrée sur quelques quartiers. Elle est plus préoccupante en Guadeloupe et en Martinique. Si la cocaïne est une drogue de riches (*traders,* show biz, musicos, etc.), le crack est la drogue des plus pauvres (200 F les six cailloux). Il fait donc l'objet d'une répression beaucoup plus sévère.

Cristal : méthédrine (amphétamine).

Dance pills : surnom donné aux pilules vendues aux « ravers » souvent sous l'appellation abusive d'ecstasy.

Datura : plante appartenant à la famille des solanacées et dont l'usage, comme celui de la belladone, est connu en sorcellerie et dans le cadre d'ivresses rituelles. Les hallucinations touchent les cinq sens, il est également fréquent que la personne ne se souvienne pas de son expérience. Bien qu'elle n'ait en général aucune conséquence d'ordre somatique sur des personnes en bonne santé, elle peut entraîner la mort ou des blessures graves. Il est arrivé que des personnes en proie à une soif inextinguible du fait de la scopolamine se noient dans des eaux profondes ou fassent des chutes mortelles en se croyant poursuivies par des monstres. Pas de dépendance. Les cigarettes Louis Legras destinées aux asthmatiques contenaient du datura et de la belladone. Quelques adolescents qui en ont fait des infusions en sont morts ou ont subi de graves séquelles psychiques, c'est pourquoi cette marque fut retirée de la vente début 1990.

Dealer : en anglais, vendeur ; ce qui le différencie du trafiquant, c'est qu'il est en contact avec les consommateurs. C'est parfois un commerçant qui ne touche pas au produit (notamment pour l'héroïne) parfois au contraire un consommateur qui finance ainsi sa conso. On distingue le dealer de rue et le dealer d'appartement, le premier prend plus de risques et vend souvent une came très médiocre. Le second, parce qu'il travaille avec des habitués (voire des amis), est en général plus fiable. Tous deux sont souvent très paranos.

Décrocher : cesser de prendre une drogue dont on est dépendant. Se dit surtout à propos d'une drogue entraînant une forte dépendance physique comme l'héroïne.

Défoncé : être « ivre ». Parfois le terme désigne l'effet d'une drogue bien précise ou un type particulier d'ivresse ; ainsi pour le cannabis, on distingue deux états d'esprit : l'effet *high* (éveillé) et l'effet *stoned* (végétatif). Avec l'alcool on est en général bourré ou pété comme un coing. On est chargé ou dans la ouate avec l'héroïne, en plein trip avec le LSD, etc. Néanmoins la plupart des termes ont tendance à se confondre, on peut ainsi avec n'importe quel produit être fait, d'équerre, cassé, défait, raide, raide déf, scotché, écroulé, mais aussi vautré, fracassé, pulvérisé, calciné et parfois dépouillé, occis, explosé, détruit, décalqué jusqu'à être niqué, disjoncté, tétanisé, déchiqueté, satellisé, atomisé, pour finir… le nez dans la moquette…

Délirogène : substance provoquant des délires (datura, amanite tue-mouche, etc.).

Dépendance : incapacité à se défaire facilement d'une drogue. Voir toxicomanie.

Dépresseurs : substances qui, telles l'alcool, les somnifères et les narcotiques, réduisent l'activité du système nerveux.

Descente : période où les effets de la drogue (généralement un psychédélique) décroissent. C'est le retour à la réalité ordinaire pour le cerveau et pour le corps. La descente peut être plus ou moins plaisante, suivant la qualité et la quantité de drogue prise et l'état d'esprit de la personne. Le cannabis sert généralement à rendre la descente plus agréable.

Designer drugs : nom donné à des drogues de synthèse créées afin de contourner la législation sur les stupéfiants. Le principe consiste à modifier la formule chimique d'une drogue déjà connue (et interdite) afin d'obtenir une molécule qui ne soit pas classée au tableau des stupéfiants. C'est le cas par exemple du 2CB, du MDBD ou du MDMAHO (MDMA + un atome d'alcool).

Désintoxication : permet de sortir de la dépendance physique à une drogue (en une ou deux semaines, en général), mais ne règle pas le problème de l'appétence pour le produit. Est donc suivie de nombreuses rechutes en dépit de la prescription de postcures. William Burroughs décrit très bien les différents types de cures et de drogues de substitution aux opiacés dans sa *Lettre d'un maître intoxiqué aux drogues dangereuses* (voir sevrage).

Dexédrine : variété d'amphétamine dont l'effet stimulant provoque une augmentation de la pression sanguine.

DHA : un nootrope. La déhydroépiandrostérone est le stéroïde le plus abondant dans le sang humain. Le niveau de cette hormone diminuant avec le vieillissement, ce médicament semblerait contrebalancer cet effet. Il est aussi utilisé contre l'obésité et comme stimulant cognitif.

DMT : le N-diméthyltryptamide est une substance naturelle responsable des propriétés hallucinogènes de différentes plantes amazoniennes. Il est similaire à certaines hormones fabriquées par le cerveau. Ne pouvant être pris oralement parce qu'il est détruit par une enzyme de l'estomac (voir yagé), il est fumé ou inhalé. Sur le marché noir, il se présente généralement sous la forme d'un solide de couleur marron sentant la naphtaline et se prend en en plaçant une petite quantité à l'extrémité d'un joint. Inhalé, le DMT fait effet en 2 à 3 minutes et le trip dure cinq à dix minutes. (Le DMT fut surnommé « le trip du businessman » étant donné sa rapidité et la brièveté de son action.)

DOB : la 4-bromo, 2,5-dimethoxyphénylisopropylamine est une version plus puissante du STP qui fit son apparition dans les années 70. Il se présente sous forme de buvards, comme le LSD. Il est actif à moins d'1 mg. Il entraînerait des troubles de la vision persistant après son ingestion.(Voir STP).

Dopants (produits) : substances interdites servant à améliorer les performances physiques, très en vogue chez les sportifs de haut niveau. Ce sont des stimulants tels que la cocaïne, des anabolisants dont le plus connu est une hormone naturelle, la testostérone, des diurétiques comme la probénécide, des antidouleurs, par exemple la morphine ou encore des hormones peptidiques. Tous ces produits, prescrits par un médecin généraliste ou vendus sur le marché noir, sont utilisés pour augmenter la confiance ou reculer le seuil de fatigue, pour résister à l'effort ou développer les muscles, pour réguler la fréquence cardiaque ou pour masquer les traces de substances interdites. Les milieux des cyclistes, des halté-rophiles et coureurs à pied sont les plus touchés par le phéno-mène du dopage.

Dope : désigne la drogue en général, et les drogues dures en particulier (héroïne, cocaïne, crack...).

Dose : la dose est à l'héroïne ce que la barrette est au haschisch, une unité de mesure variable, équiva-lant généralement au gramme ou au demi-gramme.

Double zéro : variété de haschisch marocain de qualité supérieure issu du premier passage au tamis (un gramme pour cent grammes de feuilles). Également le nom du magazine officiel du Circ dont 5 000 exemplaires furent saisis par la police en 1995.

Douce (drogue) : désigne en général le cannabis. Sinon la distinction entre drogues dures ou douces est souvent malaisée et diffère suivant le critère retenu. Ainsi les psychédéliques n'ont pas de dose létale, n'entraînent pas de dépendance mais sont loin d'être anodins. De plus, il existe des usages durs de drogues douces et des usages raisonnables de drogues dures. Afin de sortir d'une opposition trop artificielle il a été proposé des tableaux classant les différentes drogues suivant une échelle allant des drogues ultra-douces (thé, chocolat) aux drogues ultra-dures (crack, héroïne) en passant par celles qui sont douces (cannabis, alcool de fermentation, peyotl, champignons hallucinogènes, codéine, tranquillisants), intermédiaires douces (opium, haschisch, kat, coca, tabac, alcool de distillation), intermédiaires dures (amphétamines, barbituriques, LSD, psilocybine, mescaline, solvants chimiques, absinthe) et dures (morphine, cocaïne, phencyclidine [PCP], méthadone, péthidine). Même si ce tableau (ou tout autre du même genre) ne fait pas l'unanimité, il fournit néanmoins les grandes lignes d'une classification des drogues. Ce tableau est extrait du *Rapport de la Commission d'enquête sur la diffusion dans les pays de la communauté de la criminalité organisée liée au trafic de drogue*, rapport déposé le 2 décembre 1991 au Parlement européen. (Cité in *Green Papers*, édité par les verts au Parlement européen).

 Drogue : substance agissant sur le corps ou sur le psychisme : les médicaments, le café, l'héroïne, le chocolat, l'alcool, la morphine, le tabac, le thé, le cannabis, la cocaïne, etc. sont des drogues. On appelle médicament une drogue prise pour soigner, et poison une drogue utilisée pour faire mourir. Il n'existe pas de terme générique autre qu'argotique pour désigner les drogues prises à des fins récréatives ou d'exploration intérieure. L'effet d'une drogue dépend de ses qualités propres, de son degré de pureté, de la quantité et du mode de prise mais aussi de l'état d'esprit de celui qui la prend et du contexte de l'expérience. « La drogue » n'existe pas. Cette expression traduit soit une ignorance de ce que sont *les* drogues, soit la volonté de confondre – à des fins manipulatrices – différents types de produits et d'usages.

Dragon (chasser le) : inhaler avec une paille la fumée d'une petite quantité d'héroïne que l'on a fait chauffer sur une feuille d'aluminium.

Dure (drogue) : voir douce.

Duster : un joint arrosé de PCP. Ce terme dérive d'un nom attribué au PCP, *Angel Dust* (poudre d'ange).

Ecstasy : ou extasy (également X, XTC, bonbon, etc.). Nom courant des pilules de MDMA.

Éleusis (Mystères d') : séries de rituels initiatiques de la Grèce antique liés à un culte agraire et célébrés dans la ville d'Éleusis. Les initiés prenaient certaines drogues psychédéliques vraisemblablement datura, belladone et ergot de seigle. Ces rites constituaient en eux-mêmes une épreuve initiatique. L'étonnant Crowley donna au théâtre, au début du siècle en Angleterre, plusieurs représentations publiques d'une interprétation moderne des Mystères d'Éleusis. À l'entrée, les spectateurs recevaient une boisson à base de peyotl pour être en totale harmonie spirituelle avec les acteurs !

Élixir parégorique : médicament contenant de l'opium, utilisé pour soulager les diarrhées.

Endorphines : substances analogues à la morphine mais produites par le cerveau et certaines glandes. Elles sont analgésiques, provoquent l'euphorie et peuvent induire naturellement certains états modifiés de conscience. L'appétence de certaines personnes pour les opiacés proviendrait de leurs difficultés à produire naturellement ces substances.

Enthéogène : néologisme de R.-G. Wasson et signifiant « qui manifeste Dieu en soi ». Ce concept s'emploie principalement pour parler des champignons mexicains et de leur utilisation rituelle et il prend tout son sens avec cette phrase de J.-S. Slotkin : « L'homme blanc va dans son église et parle *de* Jésus, l'Indien va dans sa tente et parle *à* Jésus. »

Éphédra : buisson dépourvu de feuilles que l'on trouve dans tous les déserts du monde. Certaines espèces contiennent de l'éphédrine, stimulant proche de l'adrénaline. Connue aux États-Unis sous le nom de thé mormon ; utilisée également en Chine comme stimulant. On ressent des poussées d'euphorie et d'énergie, une intense sensation de bien-être et de joie avec une dose moyenne ingérée à jeun. Ses effets diminuent au bout de 4 heures, mais se font sentir pendant plusieurs jours. Cette substance ne semble pas induire de dépendance mais peut présenter des dangers physiques (cardiaques) en cas d'utilisation prolongée.

Éphédrine : amphétamine naturelle utilisée comme ersatz naturel (écolo) de l'ecstasy. Se présente sous forme de gélules en vente légale, sous différents noms de marque. Son action se traduit par une sensation de chaleur et de bien-être, des poussées d'énergie et d'euphorie, une activité totale des cinq sens… Il ne semble pas y avoir de contre-indications sauf en cas de surdose (avec 2 gélules, le trip dure près de 10 heures et le cœur est donc soumis à un effort intense). Ne provoque pas de dépendance. L'éphédrine est un concurrent redoutable des amphétamines de synthèse produites par l'industrie pharmaceutique qui verrait d'un bon œil son interdiction.

Ergot de seigle : le *Claviceps purpurea* est un champignon parasite se développant sur les céréales, et notamment le seigle. Cette substance hallucinogène fut probablement utilisée dans la Grèce antique, lors des Mystères d'Éleusis, et peut-être même avant par les Saxons et les Amérindiens. L'ergot de seigle est surtout célèbre pour les troubles étranges qu'il entraîne, nommés feu de saint Antoine. C'est en 1943 que le docteur Hofmann, un chimiste suisse, inventera un dérivé synthétique de l'ergot, le LSD.

Éther : composé volatil résultant de la combinaison d'acides et d'alcool, inflammable, incolore et dégageant une odeur très particulière. Inhalé ou bu, l'éther provoque une ivresse euphorisante, une stimulation intellectuelle, un sentiment de légèreté et des troubles visuels. Cette drogue fut très en vogue au début du siècle. Depuis une dizaine d'année, l'éther – du fait de son détournement à des fins toxicomaniaques – n'est plus disponible que sur ordonnance. L'éther cause des maux de têtes, des nausées, des vertiges et peut entraîner une dépendance.

Ève : autre nom du MDEA.

Feu de saint Antoine : au Moyen Âge, des pains contenant de la farine de mauvaise qualité contaminée par l'ergot de seigle provoquèrent des délires, des hallucinations étranges, suivis de convulsions et de gangrènes. Les personnes intoxiquées succombaient généralement à ce « feu sacré » et inexplicable qui passait pour une punition divine (il frappait les pauvres et épargnait largement les riches). La cause de cette maladie ne fut découverte qu'en 1676, soit 500 ans après les premières épidémies.

Filtre : le filtre d'un joint peut être fabriqué d'une languette de carton roulé, parfois glissée dans un filtre de cigarette évidé, ou d'un bout de cigarette (« filtre marocain »). Ce principe du filtre semble être une pratique typiquement européenne puisque les Américains du Sud et du Nord, les Jamaïcains et les Africains roulent leurs pétards sans filtre.

Fix : injection intraveineuse, d'héroïne en général.

Flash : sensation perçue lors d'une injection intra-veineuse d'héroïne se caractérisant par une montée de chaleur partant du ventre pour se répandre ensuite dans tout le corps.

Flash back : voir retour (d'acide).

Flipper : faire une mauvaise expérience sous l'emprise d'une drogue, quelle qu'elle soit. Cet état se caractérise par la paranoïa, l'anxiété ou un état de panique (sentiment de mort imminente, peur de devenir fou) et s'accompagne fréquemment de symptômes physiques se traduisant par des sueurs, des tremblements, des vertiges, des malaises ou des vomissements. (Voir *bad trip*).

Foin : herbe de mauvaise qualité. Se dit aussi d'un tabac léger ou ultra-léger.

Freak Brothers : célèbres personnages de comics américains dessinés par Gilbert Shelton dans les années 70. Ces trois « frangins allumés » vivent des aventures délirantes basées sur leurs expériences avec les drogues.

Freak out : perdre la raison, se sentir mal alors que l'on se trouve sous l'emprise d'une drogue.

Free base : résidu de cocaïne, assez proche du crack, que l'on fume.

Galette : dose de crack.

Ganjah (ou ganja, gandjah) : désigne l'herbe en Inde et en Jamaïque. En Inde le cannabis est lié à la mythologie et aux rituels religieux depuis des milliers d'années. En Jamaïque les rastafariens le consomment quotidiennement pour entrer en contact avec Jah, Dieu local.

Gaz hilarant : voir protoxyde d'azote.

Gober : prendre un X.

Gold : mélange de LSD, de STP et d'amphétamines.

Guarana : infusion préparée à partir des graines d'un arbuste d'Amazonie. Se présente sous la forme d'une poudre brune à diluer dans l'eau ou des jus de fruits ou sous forme de bâtonnets à râper ou de grains torréfiés à sucer. Sa teneur en caféine est bien supérieure à celle du café, mais contrairement au café, c'est un stimulant non excitant grâce à sa forte teneur en tanin. Exotique, écolo et très énergétique, le guarana est très prisé des ravers.

H : ou hash, voir haschisch.

Hachichins (Club des) : le Club des Hachichins réunissait dès 1843, lors de soirées dédiées aux vertus de l'ivresse haschischine provoquée par la consommation de « confiture », des personnalités tels que Louis Aubert-Roche, Joseph Moreau de Tours (initiateurs du Club), Théophile Gautier, Alexandre Dumas, Charles Baudelaire, Eugène Delacroix, Gérard de Nerval, Honoré Daumier. Ces « cérémonies » se tenaient à l'hôtel Pimodan, quai d'Anjou à Paris, chez le peintre Fernand Boissard de Boisdenier. De nombreux ouvrages et articles retracent ces folles soirées, et surtout les effets du cannabis observés d'un point de vue purement élitiste et intellectuel.

Hallucination : perception d'une chose qui n'existe pas – visuelle ou sonore, voire tactile. Les hallucinations peuvent être causées par une maladie physique ou mentale ou résulter de l'absorption de certaines substances psychotropes.

Hallucinogène : ou psychédélique, qui provoque des hallucinations. Le propre des drogues psychédéliques naturelles ou synthétiques (LSD, DMT, STP, psilocybes, peyotl, yagé…) est de produire des hallucinations, des états de conscience modifiés et des visions intérieures fantastiques. Ces produits possèdent le potentiel d'abus le plus faible de toutes les substances psychotropes. En termes médicaux ce sont les moins dangereuses des drogues car même en surdose les psychédéliques ne tuent pas. Ils peuvent, cependant, être à l'origine de visions terrifiantes et laisser des séquelles psychologiques durables. Les plantes hallucinogènes sont utilisées depuis la nuit des temps par les peuples « primitifs » à des fins occultes, médicales et religieuses ; ils sont parfois utilisés lors de rituels où tous les membres du groupe absorbent simultanément un hallucinogène pour provoquer des visions collectives.

Hashâshîns : fondée en 1090, la secte des Ismaéliens ou Assassins dériverait, selon une étymologie proposée au siècle dernier par Sylvestre de Sacy, du mot haschisch signifiant lui-même herbe. La légende veut qu'Hasan ibn al Sabbah, surnommé le Vieux de la Montagne, enlevait des jeunes gens, les enivrait avec de l'opium, de la jusquiame… et peut-être du haschisch avant de les déposer dans un jardin merveilleux d'où ils revenaient avec la certitude d'avoir goûté au paradis. « Rien n'est vrai, tout est permis » : telle était la devise des Assassins qui, une fois persuadés de connaître les joies du paradis après la mort, se dévouaient corps et âme à l'assassinat qui leur ouvrirait les portes du paradis. Il fallut trois ans de siège aux Mongols pour s'emparer de leur forteresse d'Alamout qui culminait à 3000 mètres d'altitude dans une région proche de l'Irak.

Haschisch : Résine sécrétée par le plant femelle du *cannabis sativa*. On l'obtient de différentes manières : par tamisage, par broyage, en frappant la plante avec un bâton (savonnette) ou en frottant entre ses mains les sommités florales (charras). Sauf dans ce dernier cas, la poudre obtenue est réhumidifiée avec de la vapeur d'eau ou un liant, puis mise sous presse.

Hearts : pilule de dexédrine ayant la forme d'un cœur; buvard de LSD ou pilule d'ecstasy avec un cœur comme logo.

Henné : cette teinture en poudre provenant d'une plante du Moyen-Orient est utilisée comme produit de coupe du haschisch.

Herbe : le chanvre, d'où ce célèbre slogan des années 70, « Ne marchez pas sur l'herbe, fumez-la! »

Héroïne : diacéthyl-morphine, pâte ou poudre blanche synthétisée à partir de la morphine. On la sniffe, on l'injecte ou on la fume. L'héroïne a la réputation d'être la pire des drogues; en fait elle est assez peu différente de la morphine, elle est simplement plus puissante et moins nauséeuse. Les risques de forte dépendance sont très importants chez les personnes qui pensent se débarrasser de leurs angoisses, de leur déprime ou de l'ennui avec l'héroïne. Les principaux inconvénients attribués à l'héroïne sont en fait largement dus à la prohibition (prix « prohibitifs », qualité irrégulière, mauvaise hygiène, etc.) Les inconvénients imputables à l'héroïne elle-même tiennent à la brièveté de son action (qui impose plusieurs prises par jour), à sa puissance et au mode de prise préféré des héroïnomanes, l'injection – qui donne le flash – mais qui est très délabrant et source de nombreuses infections et contaminations. William Burroughs a magistralement décrit l'univers du junkie dans son œuvre, qui donne une bonne idée de la « camétude ». Le cours de l'héroïne varie actuellement de 400 à 800 F le gramme.

Héroïnomane : consommateur d'héroïne dépendant de son produit et par extension personne qui consomme de l'héroïne. Le suffixe *mane* (manie) par sa connotation péjorative (toxicomane, cocaïnomane, etc.) amène à voir tout consommateur de drogue comme un maniaque ou un malade, ce qui pourtant n'est pas toujours le cas, même avec l'héroïne.

High : voir défoncé.

Hippies : dans la foulée de Mai 68, de nombreux adolescents préférant au militantisme pur et dur les expériences psychédéliques importées des États-Unis se laissèrent pousser les cheveux et fondèrent des communautés. Rejetant les valeurs morales et sociales de leurs aînés, ils avaient leur bible : *Do it,* de Jerry Rubin et Abbie Hofmann, leur slogan : « Faites l'amour, pas la guerre », leurs films : *Woodstock* et l'*An 01*, leurs drogues : la marijuana et le LSD. Déconcertée, la France des années Pompidou réagit en promulguant la loi de 1970 sur les stupéfiants. La « drogue » était devenue un sujet de préoccupation nationale. Aujourd'hui, une partie du mouvement techno, notamment *via* le courant musical Goa, redécouvre les couleurs, les modes et les drogues de ces années-là.

Huile : liquide visqueux vert ou brun foncé, l'huile de cannabis s'obtient en extrayant au moyen de solvants industriels (alcool à 90°, éthanol) les principes actifs du cannabis. Très concentrée en THC, chère à la revente, son faible volume en faisait un produit idéal pour les trafiquants amateurs qui la ramenaient souvent *in corpore*. Mais son aspect peu ragoûtant, la difficulté de conditionnement et son effet « *stone* » prononcé l'ont quasiment fait disparaître du marché.

Iboga : plante hallucinogène africaine dont les racines contiennent un puissant alcaloïde, l'ibogaïne, aux effets similaires au LSD. Très stimulant, il est utilisé dans un cadre initiatique par différentes tribus du Gabon et du Congo. L'iboga provoque d'intenses hallucinations lors de danses rituelles et plonge ses consommateurs dans la transe. Les Bitwi l'utilisent pour entrer en contact avec les esprits de leurs ancêtres et ceux du monde animal ou végétal. De récentes expériences montrent que le *Tabernanthe iboga* pourrait aussi supprimer un temps la dépendance envers d'autres drogues, notamment l'héroïne.

Ice : variété de méthamphétamine à fumer, à sniffer ou à s'injecter. L'ice est un puissant stimulant et un excitant provoquant une dépendance rapide. Il devient toxique au-delà de 25-30 mg. Selon certaines sources, l'ice fut testé sur les soldats américains lors de la guerre de Corée pour stimuler leur agressivité, surmonter des températures extrêmes et les maintenir en état de veille. L'effet de l'ice dure plus de 24 heures.

Infusion : permet de faire passer les principes actifs d'une plante dans un liquide. Le thé, les tisanes en sont les meilleurs exemples. Le THC n'étant pas hydrosoluble, mais liposoluble, une vraie tisane cannabique se prépare donc avec du lait. Cependant, quand on fait bouillir de l'herbe dans l'eau, une partie des bulles de résine se détache des feuilles, ce qui explique que le liquide de rinçage puisse être psychoactif s'il n'est pas filtré.

Injonction thérapeutique : obligation légale de suivre un traitement médical ou psychothérapeutique afin d'éviter une peine de prison ou une amende. Hypocrite chantage à la prison, l'injonction thérapeutique est bien connue pour son inefficacité.

Intraveineuse : cette technique accroît notablement les effets et la toxicité d'une drogue. Elle a aussi ses propres dangers, notamment vasculaires (phlébites et embolies) et infectieux (abcès, septicémie, infections, transmission du VIH ou d'hépatites dans le cas de partage de seringue). Voir flash et shoot propre.

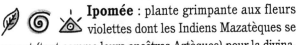 **Ipomée** : plante grimpante aux fleurs violettes dont les Indiens Mazatèques se servent (tout comme leurs ancêtres Aztèques) pour la divination et la guérison. Les graines de l'*Ipomea violacea* sont broyées et ajoutées à de l'eau, donnant un jus nauséabond produisant des effets similaires au LSD, mais dont la durée et la puissance sont moindres.

Jamaïque : île des Caraïbes fort célèbre pour son reggae et son herbe. C'est vers 1860 que le cannabis fut introduit en Jamaïque par les immigrés indiens. Largement consommé par la population locale, il finira par être interdit en 1913. Mais cette prohibition n'eut aucun effet. Au contraire, dès 1930, alors que l'usage du cannabis s'est répandu sur l'île, le culte rastafari, qui prône la consommation religieuse du cannabis, se développe. Des chanteurs de reggae comme Peter Tosh (*Legalize It*) et Bob Marley ont énormément contribué à la promotion du credo rasta et à la consommation de cannabis (dont la législation s'est largement assouplie depuis l'indépendance en 1962).

Jim Jones : pétard d'herbe et de coke trempé dans du PCP. Sans doute baptisé ainsi en référence au gourou qui en novembre 1978 organisa à Guyana le suicide collectif (au cyanure) de ses fidèles (913 morts).

Joint : il se compose d'un collage (deux feuilles ou plus), d'un mélange de tabac et de haschisch (plus rarement de marijuana pure) et d'un filtre. Synonymes : pétard, cône, cornet, bédo, beuz, joko, tarfion…

Junkie : terme péjoratif, usager de drogues dures (héroïne ou crack) fortement dépendant de son produit, marginalisé et désociabilisé. « Un junkie, constate Matt Dillon, héros ambigu du film *Drugstore Cow Boy*, c'est un type qui toute la journée fait face à des problèmes insurmontables, par exemple, le matin, lacer ses chaussures… » Synonymes : camé, shooté, poudré, toxico, tox, etc.

Jusquiame : la jusquiame noire est l'une des quatre plantes « sorcières » de la famille des solanacées. Il semble que la pythie de Delphes l'utilisait pour ses prophéties. Mais l'*Hyoscamus niger* entrait surtout dans la composition de breuvages destinés à plonger leur consommateur dans un monde peuplé d'étranges hallucinations visuelles, auditives, gustatives… Son action est à la fois relaxante et hallucinogène et les rêves qui suivent la prise de jusquiame sont fortement colorés. Voir datura et belladone.

Kashmiri : haschisch oscillant entre le vert et le brun foncé, ayant une odeur très forte et provenant de la région du Cachemire. Particulièrement apprécié des amateurs éclairés, rare.

Kat (ou qat) : le kat (*Catha Edulis*) est un arbuste (répandu essentiellement au Yémen et en Éthiopie), dont les feuilles, fraîches, mâchées immédiatement après leur cueillette, provoquent une ivresse stimulante, proche de celle de la cocaïne ou des amphétamines. Une surconsommation de kat mène à la perte d'appétit et de sommeil. Le risque d'accoutumance est réel. Au Yémen, l'après-midi, tout s'arrête pour de longues séances de mastication collectives. Le kat ruine les villes yéménites et fait la fortune des campagnes où il a supplanté les cultures vivrières.

Katmandou : capitale du Népal et ville mythique, Katmandou attira dans les années 70 bon nombre de jeunes hippies à la recherche de paradis artificiels. Pour certains, l'expérience de la route et la découverte de Katmandou furent une véritable révélation. Pour d'autres, une descente aux enfers.

Kawa Kawa : on trouve cet arbuste de la famille du poivrier dans les îles du Pacifique Sud et notamment Hawaï. Le kawa kawa produit des effets psychédéliques qui n'entraînent absolument aucune séquelle ni accoutumance. On consomme le rhizome frais ou séché (effets moins puissants). Il est mâché ou bu. Les indigènes des îles prennent du kawa kawa deux à trois fois par semaine de manière ludique ou rituelle. Vingt minutes après l'ingestion, l'usager se sent serein et aérien, ses perceptions sont amplifiées, produisant des hallucinations visuelles et sonores qui peuvent se prolonger pendant six heures.

Kaya : un des nombreux noms de l'herbe en Jamaïque, popularisé par Bob Marley.

Képa : verlan de paquet, petit morceau de papier plié en enveloppe, contenant de la poudre (en général de l'héroïne). Le dernier échelon du trafic.

Kétamine : anesthésique utilisé par les militaires sur le champ de bataille. Présente l'avantage de ne pas modifier dangereusement la respiration et les battements cardiaques, mais le réveil suppose une assistance médicale. Détourné à cause de ses propriétés psychédéliques. À faible dose, il procure une sensation de bien-être et de relaxation. En revanche à haute dose, il entraîne une dissociation du corps et de l'esprit, des expériences proches de la mort (les NDE), des hallucinations « réelles » et de profondes introspections (le trip oscillant entre 2 et 10 heures). À l'origine un anesthésique vétérinaire, la kétamine, à très forte dose, peut provoquer des troubles mentaux (amnésie) et éventuellement entraîner une dépendance psychologique. Cet anesthésique est chimiquement semblable au PCP.

Kif : terme désignant un mélange de haschisch et de tabac fumé en Afrique du Nord. La France a maintenu jusqu'en 1954 sa Régie marocaine des kifs et des tabacs.

L. 630 : article du code de la Santé publique réprimant l'incitation à l'usage, la provocation à l'usage et la présentation des stupéfiants sous un jour favorable. Cet article, qui viole clairement la liberté d'expression (garanti par la Constitution), empêche tout débat et toute information honnête sur les drogues. Délicat à interpréter, cet article est appliqué de façon arbitraire.

Laudanum : ce sirop à base d'opium très populaire au XIXe siècle était prisé aussi par des artistes tels que Baudelaire, Byron, De Quincey, Coleridge… Le laudanum entraîne une forte accoutumance.

Libanais : variété de haschisch rougeâtre en provenance de la plaine de la Bekaa au Liban.

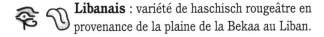

La culture du cannabis et du pavot a fourni des fonds pour soutenir l'effort de guerre et acheter armes et munitions pendant la guerre civile. Jusqu'au milieu des années 80, le Liban était un des principaux producteurs mondiaux de haschisch. Puis la culture du pavot remplaça celle du cannabis.

LSD : le diéthylamide de l'acide lysergique (LSD 25) est certainement le psychédélique le plus consommé au monde. Il fut isolé en 1938 et ses propriétés… hallucinantes découvertes accidentellement en 1943 par le chimiste suisse Albert Hofmann. Depuis plus de 50 ans, le plus souvent sous la forme de petits buvards aux effigies diverses, éventuellement sous forme de pilules, il a parcouru la planète. Aujourd'hui, un buvard ne contient en général guère plus de 50 µg (microgrammes) de LSD alors que dans les années 60, il en contenait à peu près 250. On comprend mieux pourquoi Timothy Leary ou Aldous Huxley expérimentèrent l'extase avec une telle dose. Une dose de 100-200 µg équivaut à une intense stimulation et à des déformations visuelles pouvant durer plus de 8 heures. Des personnes non préparées à ce genre d'expérience peuvent sombrer dans un *bad trip* ou subir de graves séquelles cérébrales en ingérant des cocktails très puissants (alcool, cocaïne, LSD, ecstasy, amphétamines). L'armée américaine expérimenta jusqu'en 1975 l'effet du LSD à leur insu sur des soldats. Il fut également étudié par des psychiatres sur des malades mentaux et des cobayes volontaires. Ensuite, le LSD se répandit illégalement dans le monde entier pour le plus grand plaisir de jeunes et joyeux révolutionnaires qui virent là la possibilité d'accéder au Nirvana. Il semble que nous soyons désormais revenus à l'ère psychédélique avec les raves et le style technoïde.

Lucidogène : néologisme de Charles Duits signifiant « qui manifeste la lucidité » et auquel fut préféré le terme psychédélique. Pour Duits, des substances telles que le peyotl sont des « illimiteurs de conscience » dont l'action « supprime provisoirement une obstruction qui ordinairement empêche de voir ».

Majouhn : pâtisserie orientale contenant, mélangés à de la semoule de blé ou de la purée de pois chiche, du chanvre, de l'opium, de la noix vomique, de la noix de muscade, du safran, de la pistache…

Mandragore : cette plante de la famille des solanacées est sans aucun doute l'une des plus mythiques. En effet, elle est utilisée dans des rituels magiques parce que sa racine évoque une apparence humaine. On lui prêtait un pouvoir aphrodisiaque parce que la légende prétend que la mandragore pousse sous les gibets, enfantée par le sperme des pendus. En réalité, la mandragore possède surtout des vertus somnifères, et son utilisation est plutôt restreinte. Les hallucinations qu'elle engendre sont suivies d'un profond sommeil. C'est pourquoi la *Mandragora officinarum* entre surtout dans la composition de philtres et de poisons.

Manque : on distingue classiquement le manque physiologique, qui se manifeste lors du sevrage par des effets physiques (tremblements, douleurs abdominales, diarrhées), et les effets psychiques, lesquels se manifestent par de l'anxiété, une sensation de mort imminente, etc. En pratique, il est souvent difficile de distinguer entre les deux effets. Les sensations de manque cessent avec la reprise du produit. Voir sevrage.

Marijuana : vient de l'argot mexicain, également marihuana ou marie-jeanne. Nom populaire de l'herbe aux États-Unis. Terme employé par la presse de l'empire Hearst qui mena dans les années 30 une intense campagne de dénigrement contre l'« herbe qui rend fou ». Rendu célèbre par l'hymne des zapatistes (1910), *La Cucaracha*.

Marinol : médicament à base de THC de synthèse destiné à se substituer à l'usage thérapeutique de cannabis. Mis à part leur caractère légal, ces médicaments n'ont guère d'avantage par rapport au cannabis et la plupart des malades préfèrent le cannabis naturel à cause de son action rapide (par inhalation), de sa facilité d'emploi et de son caractère euphorisant (comparable à celui des benzodiazépines) Il existe d'autres médicaments à base de THC, notamment le Nabilone.

Marocain : le Maroc, le plus gros producteur de haschisch au monde, est aussi le premier fournisseur de la France. Mis à part le mythique double zéro, il est souvent d'une qualité très moyenne, voire médiocre. Le haschisch est une des premières ressources du Maroc. Principalement cultivé dans la région du Rif, il enrichit notre ami le roi, mais ne le dites pas à Chirac, il est persuadé que le marocain vient… des Pays-Bas. Voir filtre.

Matos : mot très vague désignant tantôt les drogues, tantôt les accessoires : la seringue, le garrot, la petite cuillère pour l'héroïnomane ; le papier, le tabac et le carton pour le fumeur de pétards.

MDA : première métamphétamine issue des amphétamines dont sont tirés entre autres le MDMA, le MDEA, etc. On recense près de 200 molécules différentes de métamphétamines. Se présente sous la forme de gros comprimés blancs (appelés *snow balls*) dont les effets peuvent se prolonger pendant 12 heures. Cette drogue, proche du MDMA et souvent vendue sous cette appellation, provient de Lettonie. Durée d'action 8 à 12 heures, légèrement hallucinogène.

MDEA : variété d'amphétamine en de nombreux points similaire au MDMA, mais dont les effets sont plus brefs (entre 3 et 5 heures) et moins intenses. Utilisé chez certains malades en phase terminale pour retrouver une lucidité permettant par exemple de rédiger leurs dernières volontés ; apprécié pour cette raison dans certains milieux artistiques.

MDMA : le MDMA fut créé dans un laboratoire allemand en 1912, à partir d'une molécule dérivant des amphétamines. D'abord utilisé par l'armée allemande durant la Première Guerre mondiale comme coupe-faim, ses effets sont finalement jugés incompatibles avec le combat dans les tranchées. Le MDMA ne deviendra célèbre que vers le début des années 80. Présenté comme la pilule de l'amour, il est alors baptisé ecstasy. Mais au fil des ans, les trafiquants voyant une opportunité de gagner de l'argent sans trop de risques se lancent dans la conception de *Designer Drugs*. Le MDMA pur provoque une sensation désinhibante de bien-être et d'euphorie. Les effets d'un comprimé durent près de 6 heures. Le MDMA n'entraîne aucune accoutumance, mais en abuser provoque à long terme des troubles physiques et psychiques. Durée d'action 5 à 6 heures. Le MDMA accroît les sensations tactiles et développe l'affectivité.

Méfu : fumer du cannabis en verlan. Signifie également être *stoned*.

Mélange : mélange de tabac, de haschisch ou d'herbe qu'on met dans le bang ou le pétard.

Mescaline : alcaloïde et principe psycho-actif du peyotl que l'on retrouve dans de nombreux autres cactus d'Amérique centrale et du Sud. Ces cactus sont utilisés dans des rituels magiques par les chamanes à des fins divinatoires ou de guérison. William Burroughs et Carlos Castaneda évoquent dans leurs écrits leur rencontre avec *Mescalito*, l'esprit du cactus. Les Indiens sont quant à eux persuadés de rencontrer *Mescalito* chaque fois qu'ils prennent du peyotl.

Méthadone : opiacé de synthèse. La métha-done est principalement utilisée comme drogue de substitution à l'héroïne chez les toxicomanes désireux de s'en délivrer. Cette substance se prend généra-lement par voie orale et le traitement qui dure plusieurs années est suivi par une équipe de soins ou un médecin. Longtemps combattue en France, où les intervenants en toxicomanie étaient majoritairement adeptes de l'abstinence, elle a fini par s'imposer comme un outil de la réduction des risques.

Montée : c'est par la montée que débute un voyage (*trip*) sous l'influence de drogues psychédéliques (LSD, psilocybine…) ou d'amphétamines (MDMA). Cela se traduit par une sensation de chaleur, une modification progressive de l'humeur et de la perception de la réalité.

Morphine : molécule naturelle extraite du pavot, puissant antidouleur utilisé notamment pour les cancéreux, les grands brûlés et dans le traitement des douleurs postopératoires. Produit détourné de son usage par les toxicomanes, qui – contrairement aux malades à qui elle est prescrite comme antidouleur – développent souvent une forte dépendance. Son statut est aujourd'hui ambigu; sous les appellations Moscantin ou Skénan, la morphine peut être prescrite comme produit de substitution après l'échec du Subutex et de la méthadone.

Narcotiques : qui engourdit, qui provoque le sommeil. Groupes de dépresseurs dérivés de l'opium ou chimiquement apparentés à ses composants.

Narghilé : ou narguilé ; pipe à eau à embouts multiples, le narghilé serait originaire de l'Empire ottoman qui l'aurait largement répandu, notamment dans les pays d'Afrique du Nord.

Native American Church : afin de se protéger des tentatives des Églises et des gouvernements de supprimer l'usage du peyotl, les Indiens du sud des États-Unis instituèrent des religions légales pour défendre leur droit à consommer le cactus. C'est ainsi que naquit la Native

American Church, qui compte plusieurs centaines de milliers de fidèles dans toute l'Amérique du Nord.

Neige : autre nom de la cocaïne.

Népalais : sombre à l'extérieur et clair à l'intérieur, le haschisch en provenance du Népal est recherché pour ses puissants effets.

Nirvana : état de béatitude que l'on atteint par la méditation, le sexe ou le recours à certaines drogues.

Noix de muscade : une cuillère à café de *Myristica fragrans*, voilà ce que prend un prisonnier n'ayant accès à aucune autre drogue. D'ailleurs la noix de muscade est mondialement utilisée depuis l'Antiquité comme narcotique. Il faut en ingérer une quantité considérable pour ressentir des effets psychotropes (entre une cuillerée à soupe et une boîte entière). Relativement toxique, cette épice laisse l'usager dans un état très pénible le jour suivant l'ingestion.

Nootropes : ce terme vient du grec et signifie « agissant sur l'esprit », il désigne les *Smart Drugs*. Ces médicaments récents sont réputés être des stimulants de l'intelligence et de la mémoire. Ils peuvent également agir sur le métabolisme.

Olioliuqui : liane d'Amérique du Sud dont les Indiens se servent pour entrer en transe. Hallucinogène puissant, proche du LSD, il n'entraîne aucune dépendance, mais peut provoquer certains troubles psychiques à très fortes doses. Les graines du *Turbina corymbosa* (comme celles de l'ipomée) servent à faire une boisson destinée au malade lors d'un rituel de guérison. Aujourd'hui encore, les Indiens perpétuent ces cérémonies héritées de leurs ancêtres aztèques.

Onguent des sorcières : graisse à base de saindoux, de belladone, de datura, de chanvre indien et d'autres herbes utilisées par les sorciers et les sorcières pour se rendre au Sabbat. S'enduire de cet onguent aux endroits les plus sensibles du corps (plexus, tempes, aine…) permettait aux drogues d'agir immédiatement, provoquant d'étranges hallucinations. Carlos Castaneda expérimenta un onguent à base de datura, et « s'envola » pour un voyage extraordinaire. Cette expérience de sorcellerie yaqui est décrite dans l'ouvrage *L'Herbe du Diable et la petite fumée*.

Opiacés : substances naturelles ou synthétiques dérivant de l'opium : morphine, codéine, héroïne, élixir parégorique, etc. Puissants antidouleurs, les opiacés entraînent une importante dépendance physique… et chez les toxicomanes une très forte dépendance psychologique, variable selon les produits.

Opium : résine pâteuse brune, issue du *Papaver somniferum*, ou pavot somnifère. Incisée, la tête du pavot exsude un lait blanchâtre qui deviendra brun foncé en s'oxydant et en séchant à l'air. Médicament traditionnel dans toute l'Asie, somnifère puissant et antidouleur remarquable, il a un spectre d'utilisation extrêmement large. Il se présente sous forme de boulettes plus ou moins dures que l'on ingère ou que l'on fume dans de longues pipes. Il provoque une forte dépendance physique. C'est l'Angleterre qui, en imposant par les guerres de l'opium sa consommation en Chine, va créer au XIXe siècle la première épidémie moderne de toxicomanie. Les fumeries d'opium vont alors se répandre dans toute l'Asie et dans les grands ports d'Europe et d'Amérique (Toulon, Londres, San Francisco). La France maintiendra jusqu'en 1954 sa Régie indochinoise des opiums.

Overdose : ou O.D. C'est une dose de drogue insupportable pour le corps pouvant entraîner dans certains cas la mort. Cela concerne des substances telles que les opiacés, les barbituriques, les tranquillisants, l'alcool, mais aussi des plantes comme la belladone, la jusquiame ou l'amanite tue-mouche qui contiennent des toxiques et ont une dose létale. En cas d'O.D., ne pas hésiter à appeler le 15, le secret médical couvre aussi ces cas-là. L'overdose survient souvent avec la prise d'une dose « habituelle » de drogue après un sevrage forcé (sortie de prison) ou à la fin d'un séjour de postcure. Par ailleurs, un certain nombre d'« overdoses » sont en fait des empoison-nements dus à des produits de coupe dangereux.

Pakalolo : nom du cannabis en Polynésie française, qui peut se traduire par « herbe qui rend fou ». Arrivé dans les années 60 aux îles, le pakalolo a rapidement été intégré par les jeunes Tahitiens comme un élément de la culture traditionnelle.

Pakistanais : variété de haschisch. Son goût rappelle l'afghan, sa consistance et sa couleur le népalais.

PBC : la pâte base cocaïne ou *pasta* est le résultat de la première transformation chimique de la feuille de coca. On utilise pour cela de la chaux, du carbonate de soude, du kérosène et de l'acide sulfurique en guise de réactif. Une seconde transformation chimique donnera le chlorhydrate de cocaïne (100 kg de feuilles = 1 kg de cocaïne). Dans les zones de production, on fume le *basuco* (mélange de *pasta* et de tabac).

PCP : la phencyclidine est une poudre. On la sniffe ou on la fume répandue sur des cigarettes de marijuana. Parfois, on l'injecte. Disponible également sous forme de pilules, ce puissant stimulant (utilisé comme anesthésique vétérinaire) plonge son consommateur dans une grande agitation et une grande confusion. En surdose, il peut entraîner des convulsions, voire un coma. Ses effets apparaissent en quelques minutes et durent généralement entre 4 et 6 heures. Il est très semblable à la kétamine. En dépit de son affreuse réputation de « drogue qui rend fou », le PCP ne possède *a priori* aucune propriété pharmacologique qui pousserait automatiquement ses consommateurs à commettre des crimes. La majorité des gens qui ont pris du PCP l'ont fait en croyant prendre autre chose, de la mescaline, de la psilocybine ou de la super marijuana. Voir kétamine et *Angel Dust*.

Pécho : choper en verlan. Se procurer une drogue en général.

Pétard : le plus populaire et le plus usité des termes désignant une cigarette contenant du cannabis.

Peyotl : cactus hallucinogène encore utilisé rituellement par les Indiens du Mexique et ceux des États-Unis. Le peyotl procure d'intenses hallucinations et des visions laissant croire aux Indiens qu'un esprit, *Mescalito*, habite le cactus et les guide favorablement ou non dans leur voyage. Les boutons de peyotl, une fois séchés, sont consommés crus. Ils provoquent de violentes nausées lors de leur ingestion. Soigneusement dissimulées aux colonisateurs par les Indiens, ces pratiques n'ont été vraiment connues et étudiées qu'à partir des années 50. L'anthropologue Carlos Castaneda dans son livre mythique et controversé, *l'Herbe du Diable et la petite fumée*, a largement contribué à faire connaître au grand public cette plante psychédélique et l'univers magique des sorciers yaqui. Depuis peu, les Amérindiens ont à nouveau le droit de consommer rituellement ce cactus. Voir *Native American Church*.

Pilules : ecstasy ou autres amphétamines. Les pilules d'ecstasy sont de couleurs variées (rose, vert, blanc, bleu, jaune, gris, beige), et sont estampillées des logos les plus racoleurs : lapin de Playboy, pomme Apple, LOVE, dromadaire Camel, Popeye, Fido, Flintstone, Denver, Gorbatchev, Smiley, Ying-Yang, marteau et faucille, dauphin, lion, anneaux olympiques, colombe, scorpion, PT (Party Time). Attention, on vend sous le nom d'ectasy tout et n'importe quoi. Voir testing.

Pipe : une pipe sert à fumer du tabac, de l'herbe, de l'opium, de l'héroïne ou du crack.

Piracétam : un nootrope. Les consommateurs de Piracétam affirment qu'il stimule le système nerveux central et ne présente aucun risque de toxicité et de dépendance. Il semble efficace dans le traitement de l'alcoolisme, de la sénilité, de l'anémie et des vertiges. Il est disponible sur ordonnance en France.

Pneu : haschisch de très mauvaise qualité, noir, sec, à la fumée nauséabonde. Voir Tcherno.

Pollen : Fine poussière composée de grains microscopiques produits par les étamines des plants mâles et destinés à la fécondation des plants femelles. Cette poudre ultra-légère est récoltée en frappant le plant avec un bâton, le pollen retombant sur un plastique disposé autour du tronc, la poudre est ensuite compressée. Très psychoactif. Le terme pollen est également employé à tort (et pour des raisons de marketing) pour désigner une résine de cannabis jugée particulièrement pure ou puissante.

Pompe : autre nom de la seringue.

Popote : matériel nécessaire pour une injection (seringue, cuillère, citron, briquet, garrot…) On trouve désormais en pharmacie des kits contenant une seringue stérile, une dose d'alcool, un tampon stérile et un préservatif.

Pot : terme anglo-saxon désignant la marijuana.

Poppers : nitrate d'amyle, à l'origine médicament utilisé pour le traitement des maladies des artères coronaires. Sous le nom de poppers (du *pop* sonore que déclenche l'ouverture d'un flacon) il a été utilisé pour ses vertus « aphrodisiaques ». Interdit en France à la fin des années 80, il a aussitôt été remplacé par un ersatz légal, le nitrate d'isobutyl, qu'on trouve dans les sex-shops, vendu en petits flacons. L'inhalation de ce vasodilatateur entraîne une soudaine chute de la pression sanguine, des bouffées de chaleur et une remarquable altération de la conscience. Inhalé pendant l'acte sexuel, il permet de prolonger et d'intensifier l'orgasme. Son action est brève. Il est très utilisé dans les milieux gays. Consommé à doses massives, il peut provoquer des maux de tête. Tenir à l'écart des yeux.

Poudre : l'héroïne.

Protoxyde d'azote : le gaz hilarant, découvert à la fin du XVIIIe siècle, est réputé pour les crises de rire incontrôlables qu'il déclenche. Le protoxyde d'azote est peu toxique et ses effets éthériques sont brefs. On trouve ce gaz dans les cartouches des bombes à crème chantilly et des petits malins vident ces cartouches dans des baudruches dont le contenu est inhalé d'un coup.

Prozac : L'action euphorisante rapide (cinq, six jours) et stimulante de cet antidépresseur jointe à son peu d'effets secondaires immédiats en ont fait un phénomène de mode. Sa consommation massive a cependant révélé à la longue des effets inattendus et indésirables qui interdisent de le considérer comme un produit miracle, contrairement à ce qu'affirment ses promoteurs.

Psilocybes : champignons hauts de 1 à 10 cm, que l'on rencontre dans nos prés en automne. Ils contiennent une substance psychoactive nommée la psilocybine dont l'effet est similaire à celui de la mescaline, en plus court et moins intense. Une cinquantaine de champignons européens équivalent à une demi-douzaine de champignons mexicains. Leary, McKenna, Wasson, Hofmann, Castaneda expérimentèrent les hallucinations produites par ces champignons, et rapportèrent des visions et des sensations mystiques semblables à celles que perçoivent les chamanes qui utilisent eux aussi ces psilocybes depuis l'aube des temps. La consommation de ces champignons entraîne une stimulation et des déformations visuelles prononcées. Les psilocybes ne créent pas de dépendance, mais leur utilisation fréquente cause des troubles cardiaques et rénaux. De même, si les doses sont trop importantes, des désordres mentaux graves peuvent apparaître.

Psychédélique : synonyme de hallucinogène, ce néologisme, que l'on doit à Osmond (1966) et signifiant en grec « qui révèle l'esprit », a été inventé afin de rompre avec la connotation péjorative du terme médical hallucinogène, dans la mesure où les hallucinations sont les symptômes de la schizophrénie, ce qui sous-entend que l'état induit par ces substances est malsain et anormal. Le LSD, le peyotl, les psilocybes, la mescaline, le yagé, ainsi que le MDA, le MDMA sont des drogues psychédéliques. Ce terme s'applique également à des musiques et des courants artistiques liés à ces drogues. Les psychédéliques sont de puissants stimulants qui intensifient l'activité du cerveau et l'état d'éveil. Ils ont sensiblement tous la même action pharmacologique et diffèrent entre eux surtout par leur durée d'action et la rapidité avec laquelle ils agissent. Les effets sur le psychisme dépendent totalement du *set and setting*, c'est-à-dire de la prédisposition du consommateur et du contexte, de qui les prend, pourquoi et comment. Voir hallucinogène.

Psychoactif : caractère d'une substance agissant sur l'esprit.

Psychodysleptique : qui entraîne le délire. Synonyme de psychédélique, un des nombreux termes créés par les psychonautes qui ont voulu laisser leur empreinte dans l'histoire en inventant des termes tels que phanérothyme (âme ouverte à la vue), psychomimétique (qui simule les psychoses), psychotogène (qui génère les psychoses), schizogène (qui génère une rupture), mystico-mimétique (qui simule le mysticisme) pour rendre compte des hallucinantes propriétés des psychédéliques.

Psychonautes : néologisme récent désignant les aventuriers du psychédélisme, tels que Leary, Schulgin, Lilly, McKenna et les anonymes innombrables qui explorent de nouveaux royaumes de conscience ou d'inconscience…

Psychotrope : substance modifiant le psychisme, en particulier l'humeur, la pensée et la perception.

Pusher : terme popularisé par le groupe de rock Steppenwolf et par le film *Easy Rider*. Le pusher vend de la poudre et en général ne consomme pas ce qu'il vend.

 **Quaalude** : méthaqualone, sédatif-hypnotique vendu dans les années 60 sous le nom de Quaalude (également sous ceux de Sopor ou Mandrax) ; on le mélangeait à de l'alcool pour obtenir un engourdissement euphorique.

Qualité : sur le marché clandestin la qualité des drogues est hypothétique. Ce qui est vrai des effets théoriques d'une drogue ne s'applique pas forcément à une drogue vendue *sous ce nom*, qui peut contenir n'importe quoi.

Quetzalaxochiacatl : variété de nénuphars employés au Mexique depuis l'époque Maya. Le nénuphar bleu contient de l'apomorphine et d'autres alcaloïdes provoquant des effets hallucinogènes.

Cette plante est utilisée dans un cadre rituel et récréatif par les Indiens. Mais on a découvert que les Égyptiens, les Chinois et les Indiens employaient également le *Nymphaea ampla* dans l'Antiquité, sans doute parce que cette fleur d'eau est associée à diverses croyances liées à l'au-delà.

Rail : une ligne de poudre (en général cocaïne ou héroïne) que l'on inhale en se servant d'une « paille » ou, plus chic, en utilisant un billet de 100 dollars roulé. Le rituel exige un miroir pour déposer la poudre, une lame de rasoir ou une carte de crédit pour l'écraser et la façonner en forme de rail.

Rastafariens : Pour les rastafariens, le Négus, Hailé Sélassié, ancien empereur d'Éthiopie, est considéré comme un dieu, le roi des rois, descendant de Salomon et de la reine de Saba. Les adeptes sont végétariens, ne se coupent pas les cheveux et fument de la *ganjah* pour communiquer avec Dieu, ou Jah. Leur croyance, fondée sur l'Ancien Testament, revendique une identité culturelle noire.

Rave : fête nocturne, légale ou non, et dont les participants (*ravers*) dansent au son de musiques hypnotiques (dance, transe psychédélique, acidcore, goa, hardcore, transcore, house, hardhouse…) le plus longtemps possible. Certains ont recours à l'ecstasy, aux *Smart Drugs*, aux *Smart Drinks*… Voir transe.

Réduction des risques : politique de santé publique non stigmatisante visant à permettre aux usagers de drogues de limiter les risques, elle combine la diffusion de seringues et de matériel d'injection, l'information sur les risques sanitaires liés aux drogues et la substitution.

Retour : certains utilisateurs de psychédéliques sont victimes de *flash back*. Ces brèves remontées hallucinogènes qui surviennent inopinément se manifestent par des modifications de la perception visuelle et une impression de flottement. Ces phénomènes sans gravité disparaissent d'autant plus vite qu'on leur accorde peu d'importance. Il semblerait que certaines substances soient à même de susciter ces phénomènes.

Résine (de cannabis) : dénomination légale du cannabis. Substance sécrétée par la plante pour résister au stress (froid, absence de fécondation, etc.) et présente (par ordre croissant) dans le tronc, les branches, les feuilles et surtout les têtes. C'est avec cette résine qu'on fabrique le haschisch. Seuls les plants femelles, parce qu'ils contiennent suffisamment de résine, sont utilisés.

Rocks : terme anglais désignant les cailloux de crack.

Rouler : rouler un joint, comme on roule une cigarette, de préférence en forme de cône.

Rush : voir flash.

Sabbat : assemblée nocturne et orgiaque à laquelle assistaient sorciers, sorcières et démons pour s'enivrer et copuler avec frénésie, selon la légende chrétienne. En fait ces rassemblements s'inscrivaient vraisemblablement dans la tradition des Bacchanales et des Saturnales, fêtes orgiaques données en l'honneur de Bacchus, dieu de l'ivresse, et Saturne, dieu de la fertilité et des moissons. L'utilisation probable d'onguent (à base de belladone, de datura, de pavot, de chanvre et de graisse) susceptible de provoquer de puissantes hallucinations et de projeter les participants dans des mondes irréels est probablement à l'origine du mythe de l'envol des sorcières sur leur balai.

Sabsi : ou sipsi, pipe fine et longue originaire du Maroc, à l'extrémité de laquelle est fixé un foyer amovible de petite taille en pierre ou en terre cuite. Sert à fumer le kif.

Safi : petit foulard indien léger servant à filtrer les goudrons quand on fume le chillum.

San Pedro : cactus hallucinogène du Mexique, dont la particularité est de provoquer peu de nausées, à l'inverse du peyotl. Le *Trichocereus pachanol* est également utilisé à des fins rituelles par les Indiens du Mexique. Ces cactus hallucinogènes furent consommés par leurs ancêtres Toltèques, Mayas, Aztèques... et cette tradition perdure. Le choix des cactus varie surtout en fonction de leur répartition géographique.

Savonnette : c'est sous ce nom qu'est vendu en France le haschisch marocain ordinaire (appelé *chocolate* en Espagne), compressé en forme de savonnette, il pèse environ 250 grammes. Ce haschisch déjà médiocre à l'origine est, de plus, fréquemment coupé.

Sinsemilla : de l'espagnol *sin semilla*, sans graine. Ces plants peuvent s'obtenir à partir de n'importe quelle variété grâce à une sélection rigoureuse de plants ayant peu ou pas de graine. Une pure *sinsemilla* ne produit aucune graine et seule une fécondation avec du pollen directement apposé sur les fleurs permet d'obtenir quelques graines (moins de 5 pour 100 grammes d'herbe sèche). La *sinsemilla* doit sa réputation justifiée de puissance au fait qu'un plant femelle qui n'est pas fécondé subit un stress qu'il compense par une production accrue de résine.

 Set and setting : voir psychédélique.

Sevrage : processus qui consiste à arrêter de prendre une drogue dont on est dépendant. Également symptômes survenant lors de l'arrêt de la consommation et qui disparaissent avec une reprise de celle-ci, ces symptômes diminuent progressivement puis disparaissent avec le temps (voir désintoxication).

Shira : mélange de haschisch et d'opium, d'origine afghane.

Shit : merde en anglais, un des innombrables surnoms du haschisch.

Shoot propre : après la mise en vente libre des seringues en 1987, mesure destinée à limiter les risques de l'injection, des consignes de sécurité, permettant de shooter propre, ont été diffusées. Des kits de prévention contenant seringue stérile, tampon d'alcool, préservatif sont disponibles en pharmacie. Alors qu'en 1987, 30 % des toxicomanes à l'héroïne étaient séropositifs, le chiffre est tombé à environ 4 % pour les toxicomanes ayant procédé à leur première injection après 1987.

Shooteuse : seringue.

Skunk : variété de cannabis originaire des États-Unis puis développée en Hollande. Son nom vient de la forte odeur que ces fleurs dégagent une fois arrivées à maturité (le *skunk* est une espèce de putois américain).

Soma : drogue mythique des Indo-Européens. R.-G. Wasson et d'autres scientifiques pensent qu'il s'agirait d'une préparation à base d'amanite tue-mouche. Dans *Le Meilleur des Mondes* de Huxley, le soma est la drogue mondiale et légale utilisée par une nation appliquant les théories fordistes de production de masse et désireuse de s'évader d'une vie sans surprise.

Smart drinks : ultra-vitaminées et très stimulantes, ces « boissons intelligentes » (de l'anglais *smart* : élégant, astucieux, intelligent) utilisées par les sportifs sont désormais largement répandues chez les ravers. Leurs propriétés tonifiantes permettent d'après leurs adeptes de fournir des efforts sans trop de fatigue. Vendues sous un *packaging* aguicheur avec des noms détonants, elles sont censées contenir des extraits de plantes exotiques aux effets merveilleux. En fait la plupart de ces composants actifs naturels sont détruits par les procédés industriels utilisés et le principe actif le plus efficace de ses boissons est encore la bonne vieille caféine... boostée par l'effet placebo !

Smart drugs : drogues « intelligentes ». Ce sont en fait des médicaments légaux censés améliorer la mémoire et les capacités intellectuelles, sans pour autant affecter le cerveau, ni être toxiques. Les *Smart Drugs* ont attiré l'attention des médias au moment de l'apparition à San Francisco dans les années 90 des *Smart Bars*. Elles se diffusent aujourd'hui dans le milieu des ravers. Ce sont notamment le Piracétam, la DMAE, la DHA, etc.

Sniff : inhalation nasale de cocaïne, d'héroïne, ou d'autres drogues réduites en poudre. Voir rail.

Solanacées : famille de plantes comprenant entre autres la pomme de terre, la tomate, le tabac, la bella-done, la jusquiame, le datura, la mandragore...

Somnifères : médicaments hypnotiques, sédatifs. La fin des années 70 a marqué le déclin des barbituriques, trop difficiles à maîtriser, et l'envolée des benzodiazépines (Temesta, Tranxene, Rohypnol, Valium, etc.). La redoutable accoutumance aux benzodiazépines et leur détournement par les toxicomanes, ainsi que leur distribution *manu largo* dans le grand public, sont aujourd'hui sévèrement dénoncés par les médecins qui traitent les pharmacodépendances. Au début des années 90, une nouvelle classe d'hypnotiques plus maniables (causant moins d'accoutumance) est apparue (Stilnox et Imovane).

Soufflette : cette méthode se pratique à deux. L'un place un pétard à l'envers entre ses lèvres et envoie ainsi la fumée directement dans la bouche de son partenaire. Cette pratique remonterait à plusieurs milliers d'années. En effet, les chamans de certaines tribus indiennes d'Amérique du Sud (Jivaros, Cofares…) s'adonnent à la soufflette avec une cigarette de tabac et de datura (ou même à l'aide d'une sarbacane) lors de rituels d'initiation ou de guérison.

Space cake : n'importe quel gâteau dans lequel on aura incorporé du cannabis. Les effets sont plus forts, plus longs que ceux du pétard. Ils se rapprochent parfois de ceux des champignons ou du LSD. Traître car les doses sont difficiles à apprécier et l'effet dépend de la biodisponibilité de l'estomac et toujours du *set and setting* du consommateur.

Special K : nom donné à la kétamine, en référence à la marque Kellogg's.

Speed : ce terme désigne les amphétamines, et plus particulièrement la méthédrine. Produit de coupe fréquent dans le LSD et l'ecstasy, se reconnaît à la tension des mâchoires qu'il entraîne. Abus dangereux.

Speed ball : mélange de deux drogues, l'une stimulante (cocaïne, amphétamine), l'autre calmante (héroïne). Généralement injectée.

Speed-freak : allumé carburant aux amphétamines.

Spliff : gros pétard jamaïcain d'herbe pure enroulée dans une feuille de maïs ou à défaut dans du papier journal.

Stick : petite cigarette de marijuana ou de hasch roulée avec une seule feuille, à usage individuel.

Stoned : voir défoncé.

STP : Sérénité-Tranquillité-Paix, voilà ce qu'est censé apporter le 2,5 dimèty-4-métylamphétamine, un hallucinogène synthétique se présentant sous forme de pilule. Son action combine les effets de la mescaline et des amphétamines. Le trip peut durer plus de 24 heures et provoque une intense stimulation et de nombreuses hallucinations. Le STP est une marque d'huile de moteur pour voitures de course, la *Special Treated Petroleum.* Dans les années 70, STP signifiait aussi *Serve The People* ou *Stop The Pigs* pour les révolutionnaires gauchistes et psychédéliques.

Stéroïdes : famille de substances apparentées à une hormone élaborée par le cortex surrénal, la cortisone. Les stéroïdes anabolisants et les corticoïdes appartiennent à cette famille. Fréquemment utilisés par les sportifs professionnels à des fins de dopage.

Stupéfiant : qui stupéfie, substance toxique agissant sur le système nerveux soit comme narcotique, soit comme euphorisant. À l'origine, ce terme désignait essentiellement les opiacés, aujourd'hui il est officiellement employé par l'Organisation des Nations Unies pour désigner « toute substance des tableaux I et II, qu'elle soit naturelle ou synthétique ». Bref, un stupéfiant est un produit classé… au tableau des stupéfiants. Tableau, qui, d'après le rapport du Comité national d'éthique, « ne repose sur aucun critère scientifique ou médical ».

Substitution : délivrance médicale d'un produit pharmacologiquement proche de la drogue utilisée, mais atténuant ses effets les plus pervers et permettant un traitement au long cours.

Subutex : drogue de substitution à l'héroïne distribuée sur ordonnance et bons de carnet à souche. Utilisé dans le cadre d'un traitement de substitution prévu pour durer plusieurs mois ou plusieurs années. Ses effets sont ceux des opiacés, mais induisent rarement un état de « défonce ». Par ses effets compétitifs, le Subutex rend inutile la prise d'héroïne. Une prise quotidienne suffit. Certains toxicomanes le détournent en se l'injectant, provoquant des abcès... et la consternation des médecins qui les suivent.

Sulbutiamine : un nootrope. On la trouve en pilules dans les pharmacies françaises sous le nom d'Arcalion. La sulbutiamine est un stimulant de la mémoire et de la concentration. Elle permet aussi un réveil clair et frais. Principalement utilisée par les étudiants en période d'examens.

Super K : autre nom de la kétamine.

Tabac : plante de la famille des solanacées originaire de l'île de Tobago (Antilles). Il existe plusieurs façons de consommer le tabac : les feuilles, une fois séchées et fermentées, sont transformées en grains minuscules (pour priser), découpées en filaments (pour fumer en pipe, en cigarettes ou en cigares) ou en carottes (pour chiquer). Introduit en Europe au XVIᵉ siècle, le tabac est sans aucun doute la drogue légale la plus répandue au monde et probablement celle qui cause le plus de décès (en France, elle causerait la mort prématurée de 60 000 personnes, cancer des poumons, de la gorge, maladies cardio-vasculaires, etc.). Le tabac induit une forte dépendance comparable à celle des opiacés, surtout sous la forme de cigarettes.

Tcherno : haschisch de très mauvaise qualité et particulièrement nauséabond, ainsi nommé en référence à la centrale nucléaire ukrainienne. Voir savonnette et pneu.

Temgésic : médicament antidouleur détourné par les héroïnomanes pour combattre le manque, il fut ensuite prescrit par des médecins pionniers dans une optique de stabilisation. A conduit à la mise à la disposition des médecins du Subutex, même molécule mais plus fortement dosé et officiellement destiné à la substitution.

Testing : action qui consiste à vérifier au moyen de réactifs chimiques la présence ou non d'une substance recherchée dans un échantillon de drogue. Le *testing* est plus particulièrement utilisé pour vérifier la présence ou l'absence d'amphétamines ou de métamphétamines dans des pilules présentées vendues sous le nom, souvent abusif, d'« ecstasy », violet pour les métamphétamines, brun jaune ou orange pour les amphétamines et vert pour certains hallucinogènes tel le 2CB. Technique utile mais limitée (le *testing* n'est pas une analyse), on ne peut connaître par exemple ni la quantité des produits mis en évidence, ni la présence éventuelle d'autres produits. Outil précieux de la réduction des risques, le *testing* est autorisé en Hollande (on trouve dans les raves des personnes disposant de kits permettant de procéder rapidement à ces tests). En France, la possession des kits est légale mais pas le *testing* (celui qui le pratique peut être poursuivi pour facilitation d'usage de stupéfiant).

Têtes : terminaisons des plants de cannabis femelles arrivées à maturité et constituées essentiellement de bractées et bractéoles (les plus petites des feuilles – et les plus chargées en THC et autres cannabinoïdes), les feuilles plus grandes sont enlevées pendant la croissance et la manucure (effeuillage) afin d'obtenir des têtes bien sèches et d'aspect soigné. La résine qui se colle aux doigts lors de l'effeuillage est recueillie ; malaxée, elle donne le *stinky finger*, la meilleure qualité de haschisch.

Teuch : abréviation de teuchi, shit en verlan.

Thaï : herbe thaïlandaise très puissante du fait que cette variété est naturellement (et non à cause d'un traitement chimique) polyploïde (les variétés ordinaires sont monoploïdes).

THC : tétrahydrocannabinol, principal élément psychoactif du chanvre, il est isolé en 1985 par deux chimistes de l'université de Jérusalem, R. Mechoulam et Y. Goani sous le nom de trans-delta-9-tétrahydrocannabinol.

Deux ans plus tard, R. Mechoulam mettait au point le THC synthétique. Produit aux États-Unis sous le nom de Marinol, de Nabilone ou encore de Dronabinol, le THC de synthèse peut, depuis 1985, être prescrit par des cancérologues, mais contrairement au cannabis « naturel » fumé pur, le THC a des effets secondaires désagréables. De plus, il n'agit pas immédiatement, rend les malades anxieux et, se présentant sous forme de pilules, peut être rejeté en cas de vomissements fréquents.

Thé : boisson stimulante à base de feuilles de théier, un arbuste originaire de Chine. Largement répandu en Asie et au Moyen-Orient, il apparaît en Europe vers le XVIIᵉ siècle et reste très prisé des Anglais. Les feuilles, torréfiées, donnent le thé vert et, si on les laisse légèrement fermenter, le thé noir. Le thé est un digestif et un diurétique, mais son action excitante (il contient de la caféine) peut s'avérer néfaste (nervosité et insomnies).

Tolérance : phénomène par lequel le corps s'habitue à un produit et réclame des doses plus fortes pour en maintenir l'effet. Survient plus facilement avec les stimulants et les dépresseurs qu'avec d'autres drogues.

Tourner (Faire) : le pétard passe rituellement de main en main. On le fait tourner, en verlan « fait nétour ». *Fais Netour* est également le nom d'un magazine français éphémère consacré au rap, à la techno, aux voyages, aux grafs et aux psychédéliques, condamné en vertu du L.630.

Toxicomane : sujet à la toxicomanie. Abréviation : toxico, tox. Abusivement employé pour désigner n'importe quel usager de drogues (voir usager).

Toxicomanie : mode de consommation caractérisé par un usage compulsif des drogues, par la tolérance et par des symptômes de manque qui apparaissent et disparaissent avec l'arrêt et la reprise de la consommation (sevrage). Ce terme est abusivement employé par les prohibitionnistes pour désigner n'importe quelle consommation d'une substance interdite.

Toxique : qui contient du poison, peut être nocif, créer de graves dommages ou provoquer la mort. Cependant une substance toxique employée avec un dosage adéquat permet d'obtenir des effets bénéfiques ou plaisants.

Trafic (de stupéfiants) : d'un point de vue juridique, distribution, vente, échange ou don d'une quantité quelconque d'un produit classé au tableau des stupéfiants; considéré comme un crime.

Transe : la transe est un état modifié de conscience induit par la danse, le jeûne, l'orgasme, des musiques répétitives, la pratique du chant ou encore par la consommation de drogues psychédéliques. Les chamanes recourent souvent à la transe pour accéder à l'extase ou pour communiquer avec les esprits. À l'aube du troisième millénaire, les ravers renouent à leur façon avec l'une des plus vieilles pratiques magiques de l'humanité. Style musical, techno psychédélique.

Triangle d'or : région située à la frontière de trois pays : Birmanie, Laos, Thaïlande. Très active dans la production d'opium et sa transformation en héroïne.

Trichloréthylène : solvant utilisé par les adolescents parce que bon marché et facilement accessible (dans le placard à balais de maman ou les grandes surfaces). Le trichlo est désormais interdit à la vente aux mineurs. L'usager peut inhaler un chiffon imbibé de « trichlo » durant plusieurs heures. Au même titre que la colle, cette drogue provoque un état d'ivresse anesthésiant, irrite les parois nasales et les tissus du cerveau. Absorbé en surdose, il peut entraîner une perte de conscience et, par absence d'oxygène (inhalation dans un sac plastique), la mort. Association dangereuse avec l'alcool.

Trip : terme anglais signifiant voyage. Exploration intérieure au moyen d'une drogue psychédélique. Voir *bad trip*.

Usager : terme neutre et non stigmatisant désignant une personne consommant régulièrement ou irrégulièrement des drogues. Le discours officiel parle de toxicomane, confondant usage et abus pour ne pas reconnaître que la plupart des usagers maîtrisent leur consommation.

Usager revendeur : ou partageur. Fait les courses pour les copains et prend sa com' au passage, le plus souvent en nature. Assimilé au dealer par la police et la justice.

Vasopressine : un nootrope. C'est en fait une hormone du cerveau, qui augmente l'attention, la concentration, la mémoire, car son rôle est d'imprimer les nouvelles informations dans les centres de la mémoire du cerveau.

Vénus : déesse de l'amour, de la beauté et de la volupté chez les Romains, autre nom de l'ecstasy.

Viper : terme argotique des jazzmen américains des années 30 désignant les fumeurs de marijuana en référence au sifflement émis par ceux-ci lorsqu'ils tirent sur un pétard. Également le nom du premier magazine voué à l'information sur les drogues créé par Gérard Santi dans les années 80.

Visions : perceptions d'images imaginaires, généralement les yeux fermés. Les sorciers et autres chamanes se servent des plantes psychotropes pour provoquer des visions. Désigne également une expérience visuelle (ou sonore) mystique où la personne entre en contact avec des entités surnaturelles, Dieu, dieux, diables, esprits, Sainte-Vierge, Vichnou ou léopard sacré en fonction de la cosmogonie locale.

Vitamin K : terme désignant la kétamine.

Voyage : qui prend une drogue psychédélique entreprend un voyage (*trip* en anglais). Selon la qualité et la quantité de la drogue, de l'état d'esprit de celui qui la prend, de l'environnement, le voyage durera entre 3 à 24 heures.

Wichowaka : ce grand cactus à branches du Mexique, utilisé rituellement par les Indiens Tarahumaras, est un hallucinogène dont le nom signifie « folie ». On boit le jus des jeunes tiges uniquement lors de rituels de guérison. Le *Pachycereus pecten-aboriginum* cause des vertiges, des perturbations de l'équilibre et des hallucinations visuelles.

X : abréviation de ecstasy.

XTC : abréviation d'ecstasy.

Yaa-Baa : stimulant très puissant à base d'éphédrine, il est surnommé le « médicament qui rend fou ». Vraisemblablement fabriqué dans les laboratoires clandestins du Triangle d'Or, le yaa-baa s'est propagé rapidement en Asie du Sud-Est.

Yagé : ou ayahuasca, nom d'une forte boisson psychédélique préparée à base de l'écorce de cette liane poussant dans la forêt amazonienne. Les Indiens y ajoutent une autre plante à forte teneur en DMT (normalement détruit par les enzymes de l'estomac) et qui améliore la qualité des visions. Cela est dû à l'action de l'alcaloïde de la plante ajoutée, qui inhibe l'action des enzymes de l'estomac. Cette remarquable découverte témoigne de l'étendue des connaissances botaniques empiriques des Indiens d'Amazonie.

Yohimbehe : le yohimbehe est un arbre africain dont l'écorce contient un puissant alcaloïde, la yohimbine. 30 mn après l'avoir ingérée, on ressent une sensation de chaleur et de bien-être. Surtout recherchée pour son effet aphrodisiaque, la yohimbine rentre aussi dans la composition de médicaments destinés à traiter l'impuissance. Elle procure chez l'homme des érections spontanées et pour les deux partenaires, faire l'amour est source d'un plaisir extrême. L'expérience dure entre 2 et 4 heures.

Zamal : nom du cannabis à l'île de la Réunion.

Zen : autre nom du MDMA. Également une pratique ascétique visant à atteindre l'extase (ou *satori*) par le seul biais de la méditation.

Zonzon : la prison. Elle guette les amateurs de drogues prohibées malchanceux ou maladroits surtout s'ils sont jeunes et basanés.

Quelques adresses utiles :

Fédération des CIRC

73/75 rue de la Plaine
75020 Paris

Adresse Internet :

http://fra.drugtext.nl/circ
Email : circpif@club-internet.fr

Circ Basse-Normandie
BP 53   14007 Caen cedex

Circ Nord-Est
BP 61   57185 Clouange

Circ Languedoc
Ancienne gendarmerie
s/c B. Almin
48110 Le Pompidou

Circ Lyon
BP 3043
69605 Villeurbanne cedex

Circ Midi-Pyrénées
s/c Canal Sud
40, rue Alfred-Duméril
31400 Toulouse

Circ Paris-Ile-de-France
73/75, rue de la Plaine
75020 Paris

Circ Provence
Route du grillon
Colonzelle   26230 Grignan

Act-Up Paris
45, rue Sedaine 75011 Paris

**Aides / TechnoPlus /
Autosupport aux usagers et
ex-usagers de drogues (ASUD)**
23, rue Chateau-Landon
75010 Paris

**Mouvement pour la légalisation
contrôlée (MLC)**
59, av. Victor-Hugo
75016 Paris

Substitution autosupport (SAS)
247, rue de Belleville
75020 Paris

**Citoyens comme les autres
(CCLA)**
204, rue Blaes
1000 Bruxelles   Belgique

**Comité Helvétique pour
l'Introduction du THC (CHIT)**
s/c Sylvain Goujon,
2, route de Chêne,
1207 Genève   Suisse

Génération verte
Daniel Schmitz
1 c, cité Syrdall
L6852 Manternach
Grand-Duché de Luxembourg

LE COLLECTIF FTP regroupe des individus d'horizons différents mais d'esprit libertaire, dont l'objectif est de donner informations et connaissances utiles à la lutte contre toutes formes de censure, d'autoritarisme et oppression…

FTP est aussi un fanzine thématique (cannabis, psychédéliques, fascisme, manipulations, écologie…) à parution irrégulière.

Cet ouvrage a été réalisé avec l'aimable participation des amis du CIRC.

Pour toutes informations complémentaires :

FTP
s/c Planète Verte
BP 22
54002 Nancy Cedex

Adresse internet : http://altern.org/ftp